NA AD FI'N ANGOF
BYW Â DEMENTIA

PRYDWEN ELFED-OWENS

Na ad fi'n angof

BYW Â DEMENTIA

ISBN 978-1-912173-45-7

Argraffwyd gan
Gwasg y Bwthyn, Caernarfon
gwasgybwthyn@btconnect.com
ar ran Prydwen Elfed-Owens

Cyflwynaf y gyfrol hon
er cof am fy niweddar fam, Gwyneth Mary Williams,
metron cartref gofal a phencampwr yr anghenus
ac i Thomas Elfed, fy ngŵr, sy'n byw â dementia

Gwyneth Mary a Thomas Elfed

GOFAL ANHUNANOL

Agor ffin y gorffennol â gofal
   am gof heb bresennol.
O am rithio dyfodol
o fwynhau cael cof yn ôl.

Jim Parc Nest

GWEDDI MAM

Rwy'n falch rŵan, Arglwydd, imi gyflawni'r ddyletswydd anodd a
osodaist arnaf.

Rwy'n cyfaddef imi gasáu ei gweithredu ar y pryd: maddau fy
amharodrwydd.

Wrth gwrs, dyma oedd y ddyletswydd gywir: gwyddwn hynny'n iawn.

A phetawn i wedi ei hosgoi, byddwn wedi teimlo'n gondemniedig.

Ond ni freuddwydiwn y byddai cyflawni'r dasg yn fodd imi greu
cyfeillion newydd

ac i agor y drws i ddiddordebau ehangach a chyfleoedd er lles.

Roedd hyn oll wedi'i guddio er fy mwyn, a gallwn fod wedi ei golli.

Dyna yw dy ddull O Dduw!

Roedd f'amharodrwydd yn druenus ac annheyrngar,

a theimlaf yn annigonol hyd yn oed wrth ddiolch i Ti am y bendithion
anhaeddiannol.

Ond, rwy'n ostyngedig ddiolchgar, a gobeithiaf brofi hynny
drwy fy ufudd-dod parod a hapus o hyn ymlaen.

Gweddïaf y caf gennyt y gras angenrheidiol i wireddu'r ddyletswydd
anodd yma.

*Cyfieithiad y Prifeirdd Jim Parc Nest a Manon Rhys o weddi a gafwyd ar
dorryn o bapur yn nyddiadur fy mam, Gwyneth Mary Williams*

Gwyneth Mary a Prydwen

CYNNWYS

RHAN 2

CYFLWYNIAD

Gwlad *minisgiwl* yw Cymru, yn enwedig i Blant y Mans yr oedd eu tadau'n weinidogion Wesle, a'r rheini yn ystod bwrlwm crefyddol y 1950au a'r 1960au yn symud bob pum mlynedd o Fôn i Fynwy. Yn y cyfnod hwnnw, yn ogystal ag addoli Iesu Grist, mawrygwyd y gweinidogion a'u teuluoedd hefyd.

Mae Cymru'n llai fyth i ni a fu'n fyfyrwyr yn y Gymraeg yn un o'i cholegau. Llai eto i ni a fu'n dawnsio gwerin, eisteddfota a thrafod hyn a llall ar y cyfryngau a chyhoeddi llyfrau. Wrth reswm, mae manteision ac anfanteision i hynny. Y fantais fwyaf i mi yw fy rhwydwaith eang o gyfeillion oes. Un anfantais yw darganfod congl i gysgodi yng nghanol tymestl tor priodas.

Mantais fawr o fod yn aelod o Orsedd y Beirdd yw'r cyfle i rannu profiadau a chyfrinachau bywyd wrth orymdeithio a disgwyl yng nghefn llwyfan. Yn wir, yn ystod un o orymdeithiau Eisteddfod Genedlaethol Sir Conwy 2019 y ganed y syniad o lunio'r gyfrol hon. Bûm yn rhannu fy mhryderon am ddirywiad iechyd fy ngŵr, a ninnau'n byw ar wahân. Bu fy nghyd-orseddogion yn rhannu eu hanesion hwythau â mi. Bryd hynny, soniwyd am eraill y gwyddom amdanynt oedd yn byw tan gwmwl trist dementia. Gwerthfawrogaf barodrwydd nifer o'r rheini i gyfrannu i'r gyfrol hon.

Cyd-ddigwyddiad hollol oedd ffocws nofel lwyddiannus Rhiannon Ifans, enillydd y Fedal Ryddiaith yn yr un Eisteddfod. Cyflwynodd yr awdur stori Ingrid, sy'n araf golli ei meddwl. Mae Rhiannon yn defnyddio'r nofel i gwestiynu a yw ein cymunedau a'n teuluoedd ni'n medru codi i'r her o ofalu am bobl fregus. Cyseiniodd y neges â'm sefyllfa bersonol ac â'r ffocws ar gyfer fy narpar-gyfrol.

Yn ddiweddar bûm yn gwylio ffilm (comedi) o'r enw *The Leisure Seeker*. Gan fod y cyd-destun mor agos at fy sefyllfa bersonol, 'welais i ddim arwydd o gomedi ynddi. I mi roedd hon yn ffilm drasig. Stori yw hi am gwpl mewn oed sy'n sylweddoli bod eu cyfnod o fyw'n annibynnol yn dirwyn i ben. Mae'r gŵr, John (a chwaraeir gan Donald Sutherland), yn llithro fwyfwy i grafangau dementia tra bod ei wraig, Ella (a chwaraeir gan Helen Mirren), yn wynebu salwch terfynol. Mae'r ddau yn ei heglu hi mewn hen garafán-modur i fwynhau eu hantur olaf. Gwelwn ddirywiad John wrth iddo ailadrodd ymarferion yoga meddyliol i geisio ystwytho'i gof. Ond ymbellhau'n ddyfnach i'w niwl ffwndrus a wna er hynny. Fodd bynnag, fe gaiff ambell eiliad glir, a bryd hynny mae ei wraig yn ecstatig. *'I do so like it when you come back to me'*, meddai drwy ei dagrau. Roedd sgyrsiau'r ddau yn debyg iawn i sgyrsiau fy ngŵr a minnau bellach …

Be sy'n digwydd?　　　　　　　*Pryd mae cinio?*
Dw i ar goll, dw i 'di 'cholli hi'n lân.
Be sy'n digwydd yn y bore?　　　*Pryd mae swper?*
Mae fy mhen yn wag ac yn ddu.

Paid â phoeni, 'di blino wyt ti ar ôl iti drio cofio popeth drwy'r dydd.
Trystia fi a chau dy lygaid rŵan a chydia'n dynn yn fy llaw.
Fi fydd dy gof di rŵan tan y bore.
Gwely cynnar heno'n, de?
Ti bob amser yn oce'n y bore pan fydd y niwl 'di clirio.

'I do so like it when you come back to me.'

Sylweddolais fod y ffilm yn efelychu sefyllfa boenus a thorcalonnus fy ngŵr a minnau. Nid stori Hollywood mo hon ond realiti ein bywyd. Er y bydd llawer yn cydymdeimlo â ni ac yn cynnig cysur, ni all neb ddod yn agos at ddeall pa mor ofidus a blinderus yw gofalu am gymar sy'n ceisio'i orau i ffynnu mewn triog.

O bryd i'w gilydd, awgrymodd un neu ddau y dylwn fynd ati i gasglu profiadau fy mywyd a'u cyhoeddi. F'ymateb oedd teimlo na fyddai unrhyw un â diddordeb yn fy stori, a gwyddwn hefyd fod gen i fwy na digon ar fy mhlât. Gwyddwn o brofiad faint o'm hegni a'm hamser fyddai'n mynd ar lunio llyfr arall.

Ysywaeth, mynnodd y syniad hofran o'm cwmpas. Digwyddodd hyn am y tro cyntaf pan glywais Arfon Gwilym yn canu mewn cyngerdd yn Eglwys Gadeiriol Llanelwy. Cydiodd geiriau'r gân yn fy nghalon… 'Mae 'na alaw sy'n mynnu fy nilyn …':

> Mae 'na alaw sy'n mynnu fy nilyn
> Ar hyd llwybrau diarffordd y byd,
> Mae hi'n hofran yn dawel o'm cwmpas,
> Mae hi yno o hyd ac o hyd.

Digwyddodd am yr eildro pan lamodd brawddeg allan o gylchgrawn a ddarllenais yn y siop trin gwallt:

My life experiences are the contents of a book.

Geiriau'r darlledydd, Beti George, fu'n hofran o'm cwmpas y drydedd waith, pan siarsiodd fi i fynd ati i lunio hunangofiant. Aeth ymhellach drwy awgrymu i mi ddilyn yr un steil ag a ddefnyddiais yn fy nghyfweliad â hi ar ei rhaglen *Beti a'i Phobl* yn 2017. Yn dilyn y rhaglen honno, derbyniais negeseuon yn cydnabod fy mharodrwydd i ddangos *'my own authentic, weird and eccentric self'*, a dyfynnu Michael Hetherington. Fe'm synnwyd oherwydd meddyliais fod *pob* gwestai yn ildio'n llwyr i gwestiynu celfydd Beti!

Rhaid egluro mai dylanwad cwrs *'The Leadership Trust'* yn 1986 a'm cyflyrodd i fod mor agored a gonest. Bryd hynny, cefais 'dröedigaeth' dyngedfennol. Pwrpas gweithgareddau heriol a phoenus yr wythnos oedd ein gwthio dros y dibyn i'n dinoethi i gyrraedd ein gwir enaid a'n hysbryd er mwyn medru symud ymlaen. Athroniaeth debyg i hon:

> *The path to great confidence is not in becoming invincible, flawless, and seemingly perfect. But rather, it is in embracing your humanity, in all its messy glory and tender vulnerability. – Aziz Gazipura*

Wedi gweld y golau, fu gen i ddim dewis ond byw fy mywyd a'm 'maglau wedi eu torri a'm traed yn gwbl rydd'. 'Fu gen i ddim dewis ychwaith ond ildio i'r alaw fu'n mynnu fy nilyn i'm denu i ddweud fy stori.

Felly, dyma *ryw* fath o hunangofiant, Beti, yng nghyd-destun gofalu am ŵr â dementia. Gwnaf hynny yng nghwmni rhai o'm cyfeillion, hen a newydd, a fu ac sydd hefyd yn gofalu am anwyliaid â dementia. Byddwn oll yn rhannu ein storïau yn ffyddiog y byddant o gymorth i eraill. Gwn y bydd nifer yn gwerthfawrogi ein gonestrwydd, tra bydd eraill yn ein beirniadu am fynd yn gyhoeddus ar faterion a ddylai gael eu cadw rhwng pedair wal ... 'o dan y mat'. Fy athroniaeth i yw:

> *Care about what other people think and you will always be their prisoner. –*
> *Lao Tzu*

Mae'r bardd hynaws, Elin ap Hywel – er nad yw ond yn 58 mlwydd oed – yn llithro i grafangau dementia. Mae Elin yn ein cynghori, oherwydd y stigma sydd ynghlwm â'r clefyd, i ffocysu ar glywed yn *uniongyrchol* gan gleifion a gofalwyr er mwyn i ni wir ddeall y cyflwr a'i effeithiau.

A dyna yw bwriad y gyfrol hon.

PRYDWEN ELFED-OWENS

DIOLCHIADAU

Nodaf fy niolch i'r canlynol am eu cyfraniad hael:

- Geraint Lloyd Owen ac E. Wyn James
- y gofalwyr bob un, am agor eu calonnau i rannu eu profiadau personol
- y cyfranwyr eraill am eu parodrwydd i rannu eu harbenigedd er budd eraill
- Malcolm Lewis, Gwasg y Bwthyn am ei waith diflino

ac eraill am amryw gymwynasau gwerthfawr.

Mae fy niolch yn fawr i'r holl gyfranwyr hefyd am eu parodrwydd a'u caniatâd i gynnwys eu lluniau, ynghyd â'r manylion perthnasol amdanynt, yn y gyfrol hon.

PRYDWEN ELFED-OWENS
Awst 25, 2020

15

Cyflwynir elw'r gyfrol hon
er budd Gofal Dydd y Waen,
gwasanaeth gwirfoddol cyfrwng Cymraeg

DADANSODDIAD

A. CEFNDIR

Gofalwyr yw ffocws y gyfrol hon, a'r cyd-destun yw fy siwrne bersonol i – yr awdur – fel **gofalwr** fy ngŵr sydd â dementia.

Bu fy sgyrsiau byr gyda'm gŵr ar ei ffôn bach yn ystod Covid-19 yn agoriad llygad. Ar brydiau, disgrifiodd ei sefyllfa fel 'blanc du'. Felly, fe sefydlon ni mai fi fyddai ei gof yn ystod y cyfnodau rheini. Yna, daw ei feddwl yn glir eto ymhen ychydig. Bryd hynny, *I do so like it when you come back to me.*

Gwahoddais rai o'm cyfeillion fu'n troedio'r un llwybr â mi i rannu eu storïau hwythau. Gweithredais ar gyngor y bardd Elin ap Hywel – un sy'n byw â dementia – i siarad yn **uniongyrchol â chleifion ac â gofalwyr**. Gan imi dderbyn cefnogaeth ddefnyddiol gan arbenigwyr amrywiol ar fy nhaith, gofynnais iddynt hwythau gyfrannu.

Rhaid prysuro i ddweud:
- nad llawlyfr am ddementia yw'r gyfrol hon – mae 'na fwy na digon o'r rheini ar gael yn barod
- nid dadansoddiad gwyddonol ysgolheigaidd mohono chwaith – mae ein sefydliadau a'n prifysgolion eisoes yn gweithredu ar y rhain
- nid adroddiad o astudiaeth lyfryddol ydyw hyd yn oed
- cyfrol yw hon *gan* ofalwyr *i* ofalwyr. Mae'n deillio o brofiadau uniongyrchol unigolion (gan fy nghynnwys i fy hun) sy'n greithiau ac yn gleisiau o ymdrybaeddu i gynnal urddas ac ansawdd bywyd perthynas a larpiwyd gan effeithiau distrywiol dementia.

Wrth weithredu, byddwn ni'r gofalwyr yn amlach na dim yn:
- esgeuluso ein hiechyd corfforol ein hunain
- brwydro gyda'n teimladau o bryder, siom, euogrwydd ac annhegwch
- rhoi ein hanghenion cymdeithasol personol ar un ochr

- jyglo'r cyfrifoldeb i ennill bywoliaeth er mwyn rhoi sylw sydyn i alwadau argyfyngus y claf
- ymateb i ofynion aelodau eraill o'r teulu ochr yn ochr â chyflawni ein cyfrifoldeb fel gofalwyr.

Fy ngham cyntaf oedd gwahodd deunaw **gofalwr** – siaradwyr Cymraeg – i gyfrannu eu stori. Amrywiol oedd eu hymatebion:
- cytunodd un ond nid oedd yn berthnasol i'r cyd-destun wedi'r cwbl
- bu dau'n pryderu am effaith ailagor y briw ar eu plant
- gwrthododd un er mwyn diogelu urddas ei diweddar ŵr
- sylweddolodd un nad gofalwr mohoni.

Felly, cafwyd tri ar ddeg o ofalwyr i gyfrannu.

Cysylltu â dwy oedd yn byw â dementia oedd fy ail gam. Ni lwyddais yn anffodus – gan na ddaethant yn ôl ataf. Ni ddaeth gŵr un ohonynt yn ôl ac roedd cyflwr y llall wedi dirywio'n sylweddol.

Felly, dyma bortread o **realiti** tri ar ddeg o ofalwyr, tystiolaeth uniongyrchol o'r rheng flaen. Ac ys dywedodd un o'r cyfranwyr, 'Yr unig rai sydd *wir* yn gwybod a deall yw'r rhain sy'n byw drwy holl brofiad y tensiynau croes.'

Ymysg y cyfranwyr, gwelir wyth merch a phum dyn gydag wyth allan o'r tri ar ddeg yn byw yng Ngogledd Cymru, un yn y canolbarth a phedwar yn y De. Roedd pob un yn (neu wedi) gofalu am berthynas agos: dwy am ŵr, dau am wraig, pump am fam, un am fodryb, dau am gymar ac un am dad. Penderfynodd tri ddefnyddio ffugenw oherwydd preifatrwydd.

Wedi sgwrs ffôn dechreuol a llythyr i gadarnhau'r drafodaeth, cyflwynodd deg gofalwr eu stori yn ysgrifenedig a bûm yn cyfweld tri arall wyneb yn wyneb. Rhoddodd pob un ganiatâd imi olygu eu cyfraniad er mwyn hybu llif y gyfrol i'r darllenydd. Bu'r llyfr drwy ridyll gofalus o olygu gan gynnwys darllenwyr 'oer'. Diolchaf i bob un am ei gyfraniad didwyll ac ymroddedig. Bu pob un ohonom yn rhannu'r un gwerthoedd, sef sicrhau parch ac urddas ein hanwyliaid.

Wedi i mi glywed eu straeon a darllen a golygu eu cyfraniadau, daeth cyfres o gwestiynau i'r amlwg:
- Er bod pob unigolyn yn unigryw, beth sy'n gyffredin yn eu straeon?
- Beth yw'r gwersi y gellir eu trosglwyddo i eraill?

– Yn codi o'u profiad, beth yw'r cyngor i eraill?

– Beth y dylid edrych allan amdano er mwyn adnabod y clefyd?

– Beth a phwy sydd ar gael i helpu?

– Beth a phwy sy'n gallu cynnig help ymarferol o ddydd i ddydd?

– Oes 'na argymhellion ar gyfer y dyfodol ?

Ac mae llawer, llawer rhagor o gwestiynau, bid siŵr.

B. Y PRIF NEGESEUON

Rhaid cyfaddef – er imi bellach ddiosg fy mantell fel arolygydd ysgolion – gorfu imi dderbyn bod y profiad helaeth a gwerthfawr hwnnw bellach yn fy DNA. Ni allaf ddianc rhagddo!

Felly pan amlygodd cryfderau, gwendidau ac argymhellion yn naturiol o'r storïau, roeddent yn rhy werthfawr i mi eu diystyru. Dyma grynodeb ohonynt:

1.0 Dangosyddion cynnar y salwch

Barn Dr Obeid yw mai **salwch niwro-ddirywiol yw dementia** – methiant yr ymennydd, megis methiant y galon, nid salwch meddwl. Cafodd yr eglurhad hwn groeso mynwesol gennym ni'r gofalwyr. Credwn fod Dr Obeid yn ddyn o flaen ei amser.

Bu cryn bwyso a mesur wrth benderfynu ar derm addas i ddisgrifio'r clefyd hwn yn y gyfrol hon. Yr un a ddefnyddir drwy'r gyfrol yw **byw â dementia**. Er hynny, rhaid cyfaddef mai'r term sy'n uniaethu orau â'n profiad ni yw **dioddef o ddementia**.

Ym mhrofiad bron pob un o'r gofalwyr, dangosodd **arwyddion digon disylw** yn ysbeidiol dros gyfnod o flynyddoedd a dim ond wrth edrych yn ôl, gwelsant fod patrwm wedi graddol ddatblygu. Ys dywedodd ffrind Elin ap Hywel, daw dementia fel lleidr yn y nos.

Yr hyn sy'n flaenoriaeth yw creu **cymdeithas dementia-gyfeillgar** (capel, siopau, sefydliadau, banciau, cwmnïau adeiladu, gwasanaethau cynghorau sir, ayyb) drwy godi ymwybyddiaeth a dealltwriaeth i bawb ddod yn ymwybodol o natur ac effaith y clefyd creulon hwn ac i adnabod yr arwyddion yn fuan. Oherwydd, cred yr arbenigwyr y gellir arafu'r dirywiad os adnabyddir yr arwyddion yn ddigon cynnar. Yna gellir ymyrryd trwy ddefnydd celfydd o gyffuriau a strategaethau ymarferol.

19

1.1 Ffwndro ieithyddol
– anghofio gair
– cymysgu geiriau
– dechrau ffwndro.

1.2 Newid ymddygiad
– troi'n gas o rwystredigaeth
– ystyfnigrwydd y claf a'i wrthodiad pendant o unrhyw gymorth
– obsesu am drefn pethau
– awchu am fwydydd melys yn fwy nag arfer
– gwrthod cymorth allanol
– ystyfnigo a mynd yn anoddach i'w drin
– defnyddio iaith anweddus
– ymddwyn yn anghwrtais mewn cwmni.

1.3 Colli annibyniaeth
Fel mae'r cyflwr yn gwasgu, mae'n effeithio ar allu'r claf i gyflawni tasgau drosto ei hun:
– gyrru car
– gwisgo'n drwsiadus
– coginio
– siopa
– trefnu meddyginiaeth
– trin arian.

Dywed Dr Obeid mai ei brif nod wrth i grafangau'r clefyd wasgu'n dynnach yw gwarchod urddas ac ansawdd bywyd y claf. Mae'r gofalwyr yn awgrymu nad bob amser y bydd eraill yn deall mai natur y salwch sy'n effeithio ar ymddygiad nid natur y person.

Y flaenoriaeth yn ôl yr arbenigwyr meddygol ydi codi ymwybyddiaeth a dealltwriaeth o'r salwch er mwyn ei adnabod yn gynnar ac felly ymyrryd cyn gynted â phosib i arafu ei ddatblygiad.

2.0 Stigma
Mae'n amlwg bod **stigma** – er efallai yn lleihau – yn parhau i berthyn i ddementia nad yw ynglwm â chlefydau dirywiol eraill, yn enwedig yng

ngolwg y to hŷn. Dyma rai o'u datganiadau sydd yn dangos eu blaenoriaethau a'u gwerthoedd:
- cario baich trwm salwch y cymar yn ffyddlon a thawel
- cadw problemau'r aelwyd 'rhwng pedair wal'
- peidio â mynd yn gyhoeddus ar faterion preifat
- gwarchod urddas y claf
- gwarchod y plant rhag gwybod yr hanner am eu bod yn prysur ddatblygu gyrfa a magu plant.

Roedd yr agwedd hon i'w gweld yn gryfach fyth os oedd ganddynt statws yn y gymdeithas, fel y gwelir yn y geiriau canlynol:
- 'Ddwedes i ddim wrth neb, roedd gen i ormod o gywilydd'
- 'Wyddwn i ddim beth fyddai pobl yn ei ddweud amdanaf i nac am fy nheulu'
- 'Dydy'r plant ddim isio i mi rannu manylion oherwydd gallai effeithio eu henw da'
- 'Doeddwn i ddim yn fodlon i unrhyw un wybod am ymddygiad fy ngŵr ac iddo'r fath barch.'

Felly, tueddwyd i gadw arwyddion cynnar a phryderon 'dan y mat' heb:
- geisio cymorth y meddyg teulu yn fuan
- chwilio am wybodaeth am lwybr tebygol y salwch a pharatoi'r meddwl ar gyfer y dyfodol
- ymchwilio i addasrwydd cartrefi gofal i'r claf mewn da o bryd.

Yn ôl yr arbenigwyr, o 'roi ei ben yn y tywod' gall y gofalwr greu problemau i'r dyfodol iddo'i hun os nad yw:
- yn gofalu am ei iechyd meddyliol a chorfforol ei hunan
- yn rhannu baich ac eraill
- yn trefnu Grym Atwrnai Parhaol.

3.0 Cymorth ymarferol
Nodwyd ar draws y cyfraniadau agweddau ymarferol a fu o gymorth i'r gofalwyr megis:

3.1 Ymyrraeth allanol
Teimlad o ryddhad pan wnaed penderfyniadau dwys gan rywun o

awdurdod a oedd yn arbed straen emosiynol i'r gofalwr gan gynnwys:

e.e.	atal y claf rhag gyrru car	(ymyrraeth yr heddlu)
	yr angen am ofal preswyl 24/7	(ymyrraeth meddygon arbenigol)

3.2 Asesydd Anghenion Gofalwyr

O wybod am y gwasanaeth hwn a'i ddefnyddio, cafwyd ei fod yn amhrisiadwy i gefnogi'r gofalwr tra oedd 'ei ben yn yr injan'. Drwy sicrhau mynediad hawdd un alwad at berson sydd â'r wybodaeth i gyfeirio'r gofalwr at y gwasanaeth perthnasol, mae'n arbed amser a lleihau biwrocratiaeth.

3.3 Gwasanaeth cyfrwng Cymraeg

Dywed yr arbenigwyr fod cyfathrebu â'r gofalwyr a'u hanwyliaid yn y Gymraeg yn allweddol ac yn helpu i dawelu'r meddwl. Gwnaeth hynny wahaniaeth i rai o'r cleifion pan oedd nyrsys, meddygon a gofalwyr allanol yn cyfathrebu â'r claf yn ei famiaith. Teimlai'r cyfranogwyr fod ganddynt hawl i dderbyn gwasanaeth yn y Gymraeg os dyna yw iaith y claf.

3.4 Gofal dydd

Gwerthfawrogwyd effaith y sesiynau hwyliog hyn o gymdeithasu ag eraill ar hyder a hunanwerth y claf a'r gofalwyr:
– pan ddarparwyd gweithgareddau amrywiol
– pan oedd pobl hŷn a phlant bach yn rhyngweithio.

3.5 Cyfle am seibiant

Gwerthfawrogwyd help ymarferol i lacio'r unigrwydd a deimlir gan y gofalwyr yn eu sefyllfa gaeedig a heriol. Roedd cymorth uniongyrchol gan aelodau o'r teulu, gan ffrindiau a chan gymdogion yn amhrisiadwy, er enghraifft:
– eistedd gyda'r claf
– ymweld am sgwrs a phaned
– cynnig cymwynasau o gwmpas y tŷ a'r ardd
– codi'r ffôn am sgwrs.

3.6 Syniadau effeithiol i dawelu'r claf

Rhannodd dwy o'r gofalwyr fod eu sgiliau cefnogi plant ag anghenion arbennig yn gweithio'n dda gyda'r claf drwy:

– ddefnyddio llais tawel, cynhaliol
– chwarae hoff gerddoriaeth
– edrych ar albwm o luniau o'r gorffennol.

4.0 Pryderon
Oherwydd anwybodaeth a dwyster y clefyd, mae'r gofalwyr yn camu i fyd anhysbys sydd ynddo'i hun yn creu gofidiau ac ofnau.

4.1 *Ofnau cyffredinol*
– y gofalwr ei hun yn gwaelu ac yn methu gofalu am y claf
– dirywiad sydyn yn y claf
– y claf yn colli adnabod y gofalwr
– y claf yn crwydro ac yn mynd ar goll
– y claf yn gorfod mynd i gartref gofal
– ofn adwaith y claf wrth iddynt ffarwelio ar ôl ymweliad.

4.2 *Ofnau penodol un person ar ffurf cwestiynau:*
(gweler Rhan 2: 4 'Defnyddio'r llais').

5.0 Cyngor gofalwyr i ofalwyr
Pwysleisia'r arbenigwyr fod asesu'r gofalwr yr un pryd â'r claf yn allweddol. Bydd yr asesiad yn cynnwys gwerthusiad o iechyd cyffredinol y gofalwr, yn ogystal â'r gallu a'r awydd sydd ganddo i ofalu. Er dwyster y sefyllfa, pwysleisia'r gofalwyr yr angen i greu awyrgylch bositif a hapus i gynnal y claf. Mae angen cadw golwg, felly, ar iechyd, lles ac ysbryd y gofalwr yn ogystal â'r claf. Heb y gofalwr wrth y llyw, buan iawn y byddai'r holl gyfundrefn gofal yn chwalu. Dyma rai o'u hawgrymiadau:

5.1 *Hunan ofal*
Yn ystod ei chyfnodau hir o ofalu, ffurfiodd un gofalwr – nyrs brofiadol – fantra i sicrhau **URDDAS** y claf bob amser ac ar bob cyfrif. Yn fuan, sylweddolodd pa mor hanfodol ydoedd iddi hi fel gofalwraig fod mewn cyflwr cryf yn gorfforol a meddyliol i sicrhau hyn. Sefydlodd egwyddorion sylfaenol megis bod angen cadw golwg ar iechyd ac ysbryd yr hunan yn ogystal â'r claf. *(gweler Rhan 1: 10 'Athro caled yw profiad')*

Mae hunanofalu yn agwedd gyfrifol, resymol ac angenrheidiol er mwyn cynnal y gofal. *(gweler Rhan 2: 3 'Hunanofalu')*

5.2 Cartrefi gofal

Y penderfyniad dwysaf i'r gofalwr yw pryd i drosglwyddo'r claf i gartref gofal preswyl – i ddwylo rhywun arall. Daw pwynt yn natblygiad y salwch a dirywiad yng nghyflwr y claf fel nad oes dewis ond gofal dwys. Yna, fe gaiff sylw proffesiynol, arbenigol 24/7. Bryd hynny mae'r gofalwr yn brwydro yn erbyn ei deimladau o euogrwydd ac ofn i eraill ddehongli hyn fel gweithred hunanol neu'n arwydd o fethiant. Er i lawer deimlo'n euog ar brydiau, y gwir ydi mai dirywiad y salwch sy'n gyfrifol. Mae ar y claf erbyn hynny angen gofal gwahanol, gofal arbenigol a meddygol.

5.3 Dewis cartref

Nid cyfrifoldeb y Gwasanaethau Cymdeithasol yw canfod cartref gofal addas. Yn arferol, cynigir rhestr o gartrefi lleol gan y gweithiwr cymdeithasol, ond dim awgrym o gwbl ynghylch pa un i'w ddewis. Dengys cynnwys y gyfrol hon bwysigrwydd paratoi ymlaen llaw, sef gwneud 'gwaith cartref' er mwyn creu rhestr fer o gartrefi gofal posibl. Ar ôl didoli'r wybodaeth i greu rhestr fer, yna mae angen creu rhestr fer o feini prawf, agenda a rhestr o gwestiynau. *(gweler Rhan 2: 4 'Defnyddio'r llais')*

5.4 Trosglwyddo gofal

Nodwyd peth pryder gan y gofalwyr ynghylch yr anghysondeb a all fod rhwng ansawdd gofal cartrefi preswyl gwahanol. Fodd bynnag, yr ymateb cyffredinol oedd gwerthfawrogiad o ddiffuantrwydd ac ymroddiad a chariad y rheolwyr a'r staff am eu preswylwyr. *(gweler Rhan 1: 10 'Athro caled yw profiad')*

5.5 Agweddau cyfreithiol

Pwysleisiwyd yr angen i osod trefniadau fel Grym Atwrnai Parhaol a threfniadau defnyddiol eraill yn eu lle tra bo'r claf yn deall beth sy'n mynd ymlaen ac yn abl i gyfrannu. *(gweler Rhan 2: 5 'Rhagbaratoi yw'r allwedd')*

6 Deunyddiau

Mae toreth o wybodaeth a deunyddiau ar gael gan Gymdeithas Alzheimer's Cymru ac adrannau prifysgolion a gwefannau sefydliadau eraill. Er hynny, yn aml iawn, nid ydynt yn cyrraedd y gofalwyr.

Y farn gyffredinol oedd bod angen **person nid papur** ym mwrlwm gofalu mewn amgylchiadau prysur a heriol iawn. *(gweler Rhan 2: 9 'Sain, cerdd a chân' a Rhan 2: 11 'Siaradwch')*

C. ARGYMHELLION

1.0 Lledaenu arfer lleol effeithiol ar draws Cymru gyfan i gynnwys:

1.1 Sefydlu **Gwasanaeth Cefnogi Gofalwyr** ym mhob sir yng Nghymru ar gyfer holl ofalwyr teuluol di-dâl a gwirfoddolwyr er mwyn eu:
– cefnogi'n briodol
– gwerthfawrogi eu gwaith gofalu a gwirfoddoli;
– galluogi i gael llais
– hybu i gael cyfle a dewisiadau i fyw bywyd mwy boddhaus

1.2 Sicrhau bod **Asesydd Anghenion Gofalwyr** ar gyfer pob gofalwr sy'n gofalu'n wirfoddol am aelod o deulu, ffrind neu gymydog ymhob sir ar draws Cymru gyfan er mwyn:
– asesu eu hanghenion ar ran y Cyngor y Sir
– cofnodi eu gofynion a gwerthuso eu hanghenion corfforol, meddyliol ac emosiynol
– cloriannu eu gallu i barhau i ofalu.

1.3 Ymestyn defnydd o **Ganolfannau Gofal Dydd** i:
– leoli gwybodaeth am y gwasanaethau cefnogi gofalwyr yn seiliedig ar yr egwyddor o *'one stop shop'*
– sicrhau bod y gwasanaeth ar gael trwy gyfrwng y Gymraeg a'r Saesneg.

1.4 I sicrhau yn ôl deddfwriaeth yr iaith Gymraeg a statud gwlad fod yr holl wasanaethau, deunyddiau a hyfforddiant i ofalwyr ar gael yn y Gymraeg.

2.0 Bod y Senedd yn rhoi blaenoriaeth i gefnogi gofalwyr di-dâl yng nghyd-destun dementia, yn eu cynllun gweithredu lles a gofal cymdeithasol hir dymor, gan neilltuo cyllid penodol a digonol ar gyfer hynny.

Rhan 1

RHESTR GOFALWYR

1 Annette Leech	Penmaenmawr
2 Beryl Lloyd Davies	Yr Wyddgrug
3 Caryl Parry Jones	Y Bontfaen
4 Christine James	Caerdydd
5 'Cymro'	De/Gogledd
6 E. Dilwyn Jones	Dinbych
7 Dilys Hughes	Trefnant
8 Eric Davies	Gwauncaegurwen
9 'Gofalwr'	Cymoedd y De
10 'Gwen Môn'	Caerdydd
11 Gwilym Luke Jones	Dinbych
12 Jane Dodds	Y Gelli
13 Rhian Roberts	Bangor

MYFYRDODAU'R GOFALWYR

Yn ei chongl, 'Pwy ydach chi?' yn wastad
Yw'r cwestiwn sydd ganddi.
 heddiw'n ddieithr iddi
Geiriau Mam sy'n gur i mi.

Ieuan Wyn

1 Jiws

Annette Leech a'i chymar, y diweddar Iwan Lloyd Williams

Ganed Iwan Lloyd Williams (Jiws), unig blentyn Megan a'i gŵr Meic, yn Siop Regent House, Llanberis, yn 1947. Bu Ieuan Lloyd Roberts (Sac) yn gyfaill hiroes iddo a chofiai ef fel cymeriad hwyliog a phoblogaidd ers yn fachgen ifanc. Roedd ganddo gryn ddiddordeb mewn pêl-droed a datblygodd i fod yn chwaraewr brwdfrydig mewn nifer o dimau lleol. Yn ddiweddarach, bu'n rheolwr tîm pêl-droed Llanberis a thrwy hynny daeth yn adnabyddus ledled Cymru. Everton oedd ei ddiléit a Mick Jagger oedd ei arwr. Priododd Jiws â Carys o Sir Fôn. Cawsant dri o blant, Marc, Cai a Manon.

Annette a Jiws

Ychwanegodd Ieuan:

Yn dilyn ein haddysg yn Ysgol Uwchradd Brynrefail, Llanrug, fe'n derbyniwyd yn fyfyrwyr yng Ngholeg Prifysgol Dewi Sant, Llanbedr Pont Steffan. Gadawodd Jiws ar ôl blwyddyn gofiadwy i dderbyn amryw o swyddi yn ardal Caernarfon cyn priodi. Yna, ailgydiodd yn ei addysg gan hyfforddi i fod yn athro yng Ngholeg Normal Bangor. Wedi cymhwyso, dychwelodd i Ysgol Brynrefail, y tro hwn fel athro, ac yn 1994 symudodd i Ysgol Arbennig y Gogarth, Llandudno, i gymryd cyfrifoldeb am ddisgyblion hŷn.

Pennaeth yr ysgol bryd hynny oedd Ifan Glyn Jones a chofiai ef Jiws fel hyn:

Dyn deallus ac amryddawn oedd Jiws, a llawer ganddo i'w gynnig i blant ag anghenion addysgol arbennig. Roedd yn berson llawn bywyd, a chanddo hiwmor iach ac afieithus. Roedd ei bersonoliaeth yn llenwi'r ystafell ac roedd wastad yn barod ei gymwynas. Roedd yn andros o gymeriad a lle bynnag yr aem, roedd rhywun yn nabod Jiws.

Cefais i'r pleser o gyfarfod cymar Jiws, Annette Leech, yn eu cartref ym Mhenmaenmawr i drafod ei phrofiad fel ei ofalwr. Buont yn bartneriaid am dros ugain mlynedd yn dilyn ei ysgariad ef. Buont ill dau yn cydweithio ar staff Ysgol y Gogarth a chawsant un mab, Harri, sydd erbyn hyn yn ddeunaw mlwydd oed.

Meddai Annette:

Un o'r arwyddion cynharaf ynglŷn â chyflwr Jiws oedd iddo ddechrau ffwndro wrth yrru ei gar. Yna, un diwrnod, gyrrodd y ffordd anghywir o gwmpas cylchfan y pentref. Roedd yn fendith bod yr heddlu yn dyst i hyn. Llwyddodd y plismon i'w atal rhag dreifio drwy gymryd ei allweddi oddi arno yn y fan a'r lle – rhywbeth y methais ei wneud droeon er imi drio.

Dyna pryd y daeth Annette i sylweddoli bod gwir angen cymorth proffesiynol ar Jiws a'i bod hi yn awr nid yn unig yn gymar iddo ond yn gwbl gyfrifol am ofalu amdano. Yn gyntaf, sefydlodd fantra y byddent fel teulu bach yn parhau i fyw bywyd 'normal' cyn hired ag y bo modd. Sefydlodd hefyd egwyddorion cryfion i sicrhau nad oedd yr ymdeimlad o rwystredigaeth yn cael cyfle i adeiladu ynddo. I'r perwyl hwnnw, byddai'n trefnu ei fod yn:

- mynd am dro'n ddyddiol gyda'i fab
- ymweld â ffrindiau a chymdogion yn ôl ei arfer
- galw yn y Clwb Golff lleol gyda'i fab i gyfarfod ei ffrindiau.

Cafodd Annette gymorth parod gan amryw asiantaethau yn dilyn y diagnosis fod Jiws ag Alzheimer's a dementia fasgwlaidd. Roedd hi'n hynod bositif ynghylch cefnogaeth y Clinig Cof a byddai'r Nyrs Seiciatrig Gymunedol (NSG) yn galw'n wythnosol i'w chefnogi. Bu'r gweithiwr cymdeithasol hefyd o gymorth drwy drefnu diwrnod rhydd wythnosol a gwyliau yn Sbaen i Annette a'i mab i ymlacio allan o gysgod salwch Jiws. Yn ogystal â hynny, trefnwyd gofalwr o naw o'r gloch tan bump bob dydd yn ystod yr wythnos i alluogi Annette i barhau wrth ei gwaith ac i'w mab fynychu'r ysgol.

Defnyddiodd Annette ei phrofiad sylweddol fel cymhorthydd plant ag anghenion arbennig i ymateb i anghenion 'arbennig' Jiws. Er enghraifft, pan fyddai'n anghofus byddai'n cynhyrfu'n lân mewn ofn. Bryd hynny, newidiai ei gymeriad yn gyfan gwbl a bu'n ymosodol am y tro cyntaf, a hynny'n rhywbeth cwbl groes i'w natur. Pan ddigwyddai hynny, byddai ei gymar yn ei ddistewi drwy ostwng ei llais a defnyddio geiriau cariadus a chadarnhaol i'w esmwytho.

Hefyd, lluniodd y teulu albwm o hen luniau o fywyd Jiws, gan gynnwys lluniau niferus o dîm pêl-droed Llanberis. Byddai'r ddau ohonynt yn edrych arnynt gyda'i gilydd er mwyn dwyn atgofion melys i'r cof. Byddai hyn yn llwyddo i'w arallgyfeirio bron bob tro. Byddai unrhyw gerddoriaeth yn cael yr un effaith bositif arno, yn enwedig caneuon y Rolling Stones.

Byddai Jiws yn aml yn gwneud datganiadau rhyfeddol, er enghraifft ei fod wedi dringo'r Wyddfa o fewn pum munud o adael y tŷ. Byddai Annette yn cymryd rhan yn ei 'realiti', gan gynnal y sgwrs fel pe bai hynny wedi digwydd go ddifri'. Ni fyddai hi na'i mab yn anghytuno â'r datganiadau hyn.

Cyn ei salwch, byddai Jiws yn gwisgo'n smart a thrwsiadus. Ond wrth i'r salwch waethygu, byddai'n mynnu mynd allan yn ei sliperi a gwisgo'i siwmper y tu chwith allan. Ni fyddai'r teulu'n tynnu sylw Jiws at hyn nac yn ei gywiro. Fodd bynnag, pe bai unrhyw un arall yn cyfeirio at y dryswch hwn, buan iawn y byddai Annette yn eu rhoi ar ben ffordd – heb flewyn ar ei thafod.

Wrth i'r salwch ddwysáu ymhellach, collai Jiws adnabod ar ei deulu o bryd i'w gilydd. Cofia Annette un achlysur trist pan gyfeiriodd ati hi fel hyn: *'You are not my Neti, you're that horrid Neti from Llanfairfechan.'* Bryd hynny, achubodd Harri'r dydd drwy ddweud, *'Come on, Dad, let's get your coat, and we'll go and find your Neti.'* Roedd yn un ar ddeg mlwydd oed ar y pryd ac yn dangos aeddfedrwydd ymhell y tu hwnt i'w oedran. Aeth y ddau allan am ychydig funudau a phan ddychwelon nhw, roedd Jiws yn ei chyfarch fel pe na bai dim o'i le.

Gan fod ei mab yn prysur baratoi ar gyfer arholiadau TGAU, penderfynodd Annette ymweld â'i ysgol uwchradd i egluro'r sefyllfa gartref a'r straen oedd arnynt fel teulu. Roedd hi'n werthfawrogol iawn o'u hymateb oherwydd gyda'u cydweithrediad a'u cefnogaeth ymarferol llwyddodd Harri i gyrraedd y brig. Gwyddai'r ddau y buasai Jiws yn hynod falch o'i lwyddiant fel ag yr oedd gyda phob un o'i blant.

Pan ddirywiodd cyflwr Jiws yn sylweddol, derbyniodd Annette genadwri ysgytiol yn ystod un o ymweliadau wythnosol y NSG:

> Mae Jiws wedi cyrraedd y pen eithaf. Mae angen gofal arbenigol llawn amser arno. Elli di ddim gwneud hynny mwyach oherwydd mae'r straen yn dweud arnat ti a dy fab. Fedrwch chi ddim parhau fel hyn. Mae gen ti fab ifanc i ofalu amdano a'i warchod.

Hon oedd y neges hunllefus y bu'n ei hofni cymaint. Er bod ei chalon yn torri, teimlai ryddhad enfawr nad hi oedd yn gyfrifol am y penderfyniad. Unwaith eto, awdurdod allanol a wnaeth y penderfyniad, fel pan ataliodd yr heddlu Jiws rhag gyrru.

Teimlodd Annette ryddhad enfawr pan ddigwyddodd hyn oherwydd gwyddai yn ei chalon iddi gyrraedd pen ei thennyn. Roedd wedi llwyr ymlâdd oherwydd straen emosiynol y gofal a'r cyfrifoldeb. Bryd hynny, sylweddolodd faint o egni a wasgwyd allan o fêr ei hesgyrn wrth geisio gofalu am Jiws gartref yng nghôl ei deulu.

Cofiai'r profiad erchyll o'i adael yn y cartref preswyl am y tro cyntaf ac yntau'n crefu am ddod adref. Er hynny, roedd yn rhyddhad gan ei bod yn gwybod ei fod yn hollol ddiogel ac y byddai'r cartref yn medru diwallu ei anghenion dwys. Pan ddaeth yn amser iddi hi adael, gorfu iddi guddio i osgoi'r ffarwelio emosiynol. Cymerodd gysur o'r ffaith mai buan iawn y byddai Jiws yn anghofio'r digwyddiad oherwydd natur y salwch. Ond mae'n brofiad sy'n parhau yn ei chof hi.

> Bu ei ffrindiau a'i deulu yn ffyddlon iawn i Jiws oherwydd ei sgiliau cymdeithasol a'i natur hwyliog. Byddai nifer o ymwelwyr yn galw heibio'n ddyddiol.

Dilynodd Annette'r holl gyfarwyddiadau priodol, er mwyn diogelu Jiws. Fodd bynnag, bu farw'n ddisymwth o niwmonia. Diolchodd i Dduw am ryddhau Jiws o'r diwedd o grafangau'r clefyd didrugaredd hwn.

Ceisiodd Annette warchod Harri rhag gweld corff ei dad. Fodd bynnag, cyngor y NSG oedd y dylid caniatáu iddo wneud ei benderfyniad ei hun, oherwydd byddai'r ffarwelio yn gymorth iddo i'r dyfodol. Dilynodd Harri gyngor y nyrs.

Pan ofynnais i Annette beth fu'n ei chynnal drwy'r profiad erchyll hwn, dywedodd ei bod wedi:

- mynnu bod yn bositif doed a ddelo er mwyn Jiws a Harri
- defnyddio ei phrofiad gyda phlant ac oedolion ag anghenion arbennig
- gwarchod ei mab ifanc – cannwyll llygaid ei rieni
- mynnu bod yn hapus er y sefyllfa arswydus.

> *I did what I could, I did the very best that I could and I did it for as long as I could.*

Gwasgarwyd gweddillion Jiws mewn dau le: ym mynwent Penmaenmawr, sy'n edrych allan tua'r môr, ac ar sbotyn cosb cae pêl-droed Llanberis.

* * *

2 'Mr Eisteddfod'

Beryl Lloyd Davies a'i gŵr, Aled

Ganed Aled Lloyd Davies yn 1930 ym Mrithdir, Sir Feirionnydd. Bu ei dad, John Llywelyn Davies, yn brifathro ysgolion cynradd Brithdir a Chorwen. Gwraig tŷ oedd Catherine Elen, ei fam (chwaer Llwyd o'r Bryn). Mynychodd Aled ddwy ysgol ei dad ac Ysgol Tŷ Tan Domen, Y Bala, cyn astudio daearyddiaeth yn y Brifysgol yn Aberystwyth. Treuliodd ddwy flynedd yn adran addysg y fyddin cyn mynd yn athro i Benbedw. Bu Aled yn brifathro Ysgol Uwchradd Maes Garmon, Yr Wyddgrug, am ugain mlynedd (1965–1985).

Bu ganddo ddiddordeb mawr mewn cerddoriaeth erioed. Bu'n arweinydd Meibion Menlli am dros ddeng mlynedd ar hugain. Hwn oedd un o bartïon cerdd dant enwocaf Cymru, a sefydlwyd pan oedd Aled yn athro yn Nyffryn Clwyd. Cynhaliodd y parti dros bum cant o gyngherddau ac ennill pum gwobr gyntaf yn yr Eisteddfod Genedlaethol a'r un nifer yn yr Ŵyl Gerdd Dant. Enillodd raddau M.A. a Ph.D. am ei ymchwil i hanes cerdd dant.

Bu'n gadeirydd Pwyllgor Gwaith Eisteddfod Genedlaethol Bro Delyn 1991, yn Gadeirydd Cyngor yr Eisteddfod (1995–1998) ac yn Llywydd y Llys (1999–2002). Yn Eisteddfod Genedlaethol Casnewydd a'r Cylch 2004,

Beryl ac Aled

cafodd ei urddo'n Gymrawd pryd y cyfeiriwyd ato fel 'Mr Eisteddfod'. Meddai Aled ar y pryd, 'Cefais fy magu i werthfawrogi'r eisteddfodau, bach a mawr.'

Bu'n gyfansoddwr o fri a thrwy'r bartneriaeth hudol rhyngddo ef a'i ddirprwy bennaeth ym Maes Garmon, Rhys Jones, cynhyrchwyd caneuon bythgofiadwy, er enghraifft 'Gwalia' sydd erbyn hyn bron yn ail anthem genedlaethol. Bu'n feirniad droeon a lluniodd sgriptiau ar gyfer chwe sioe gerdd.

Cyhoeddodd nifer o lyfrau gan gynnwys ei hunangofiant, *Pwyso ar y Giât*, yn 2008. Ei nod wrth olrhain stori ei blentyndod, ei addysg, a'i yrfa oedd pwysleisio na ddylid cymryd bywyd o ddifrif.

Ganed ei wraig, Beryl, yn 1931 yng Ngwaelod y Ffordd, Berthen-gam, Sir Fflint, i Gymro rhonc o'r enw Albert Stanley Woodward, glöwr yn y Parlwr Du, a Margaret, gwraig tŷ. Mynychodd Beryl Ysgol Gynradd Trelogan ac Ysgol Ramadeg Treffynnon. Yna, hyfforddodd i fod athrawes yng ngholeg hyfforddi Wrecsam. Cyfarfu'r ddau yn Eisteddfod Genedlaethol Ystradgynlais yn 1954 cyn priodi'r flwyddyn ganlynol yng Nghapel Mynydd Seion, Trelogan. Mae ganddynt bedwar o blant, Rhodri, Gwenno, Powys ac Iestyn.

Pleser oedd cyfarfod Beryl o dan goeden gysgodol yn ei gardd ym Medw Gwynion ar bnawn chwilboeth.

Meddai Beryl:

> Roedd gallu cynhenid Aled i gofio geiriau caneuon a barddoniaeth yn anhygoel. Byddai hefyd yn ymfalchïo yn ei allu i gofio enwau disgyblion a'u rhieni oedd yn mynychu ac wedi mynychu Ysgol Maes Garmon. Pan fyddai'n cyfarfod cyn-ddisgyblion ar y stryd, byddent bob amser yn ei gyfarch yn gynhesol a pharchus. Byddai yntau'n cael boddhad enfawr o hynny.
>
> Pan ddechreuodd dwyn i gof enwau disgyblion fynd yn anodd iddo, roedd ei siom bersonol i'w weld ar ei wyneb ac i'w glywed yn ei lais. Nid oedd ei gof erioed wedi ei siomi cyn y gwaeledd hwn. Wrth i'r angof waethygu, roeddem ill dau'n gwybod fod rhywbeth mawr o'i le. Roeddwn yn pryderu'n ddirfawr wrth ei weld yn gwaethygu. Mae gen i ddamcaniaeth bersonol, heb unrhyw sail iddo,

fod ei ymennydd wedi gwisgo'n denau wedi'r holl ddefnydd a wnaeth Aled ohono.

Aeth ymlaen i ddisgrifio ymateb y meddyg teulu i'r dirywiad:

Trefnodd Aled i weld ein meddyg teulu, sef cyn-ddisgybl iddo a'r ddau yn adnabod ei gilydd yn dda. Roedd y meddyg yn un profiadol oherwydd ei hyfforddiant ac am fod ei dad ei hunan â dementia. Sylwodd fod Aled yn anghofus a dywedodd hynny wrtho. Cytunodd Aled â'i sylwadau. Felly penderfynwyd y byddai'n fanteisiol iddo ymweld â chlinig cof Cei Connah am asesiad. A dyna a fu.

Disgrifiodd Beryl yr asesiad hwnnw:

Bryd hynny, roedd y nyrsys yn hynod garedig a gofalus ohonom ill dau. Fodd bynnag, roedd y meddyg yn gwbl ffeithiol. Cyflwynodd ei ddiagnosis i Aled bod ganddo ddementia.

Yna ymhelaethodd ar effaith y penderfyniad, sef na fyddai Aled yn cael gyrru car mwyach:

Yn anffodus, disgynnodd y dasg o hysbysu'r DVLA arnaf i. Nid oedd Aled yn hapus o gwbl. Yn wir, credwn na fyddai Aled byth yn maddau imi. Rhoddai dipyn bach o glod imi am fy sgiliau gyrru – ond nid yn rhy aml! Penderfynwyd rhoi ei gar i un o'n hwyresau, oedd wrth ei bodd.

Roedd Aled bob amser yn berson hapus a chymdeithasol. Byddai'n gwbl agored am ei ddementia. 'Dydw i ddim yn cael gyrru fy hun mwyach achos mae gen i ddementia,' fydda' fo'n ei ddweud yn llawer rhy aml!

Byddai Beryl yn poeni'n ddirfawr rhag ofn i Aled fynd ar goll ac yntau mor anghofus ar brydiau:

Am na allai yrru bellach, byddai'n *cerdded* i nôl ei bapur bob bore am 6.45. Byddwn ar bigau'r drain rhag ofn iddo fynd ar goll. Rhoddais gerdyn argyfwng gyda'i fanylion arno yn ei boced rhag ofn iddo fethu ffeindio ei ffordd adre'n saff. Byddwn yn sefyll ar y gornel yn ei wylio fel barcud. Yna, pan welwn ei fod yn dychwelyd, byddwn yn rhuthro'n ôl i'r tŷ fel nad oedd yn ymwybodol o faint fy mhryder.

Cofiaf iddo ddweud un bore gyda gwên ddireidus: 'Ddim isio iti guddio pan fyddi di'n cadw dy lygad arna' i. Mi weles i dy wallt gwyn di o bell yn edrych allan amdana' i.'

Cofiaf hefyd y pryder pan oeddem ar ein mordaith olaf, pan fyddai Aled yn mynd am dro, rhag ofn iddo anghofio ei ffordd yn ôl.

Cofiaf, hefyd, Eisteddfod y Fenni yn 2018, pan aeth ar goll droeon ar y Maes wedi iddo grwydro yn ddiarwybod imi. Bu'n rhaid ei arwain yn ôl i Stafell y Cyngor. A deud y gwir, roedd yr Eisteddfod hon – ei Eisteddfod olaf – yn gwbl wahanol i'r arfer pan fyddai'n mwynhau popeth a phob sgwrs. Cofiaf iddo osgoi nifer o bobl am nad oedd yn eu cofio. Felly, prin iawn oedd y cymdeithasu'r flwyddyn honno.

Yna newidiwyd bywyd y ddau mewn chwinciad.

Yn dilyn diwrnod digon cyffredin, fe aeth Aled i 'nôl ei bapur y bore hwnnw a dychwelyd yn ddiogel. Y noson honno, cododd ac aeth i'r tŷ bach yn ôl ei arfer. Bu'n hir yn dychwelyd, felly codais i chwilio amdano. Roedd wedi cael trawiad ac wedi syrthio y tu ôl i'r drws yn y llofft sbâr, ac felly ni allwn agor y drws. Gorfu imi alw'r gwasanaethau brys. *'He won't ever be coming back home. He needs 24/7 care now,'* meddent. Dyna oedd ein noson olaf gartref gyda'n gilydd.

Aethpwyd ag Aled i ward dementia Ysbyty Maelor lle'r oedd nyrs a oedd yn siarad Cymraeg; felly, o ran iaith, beth bynnag, roedd Aled yn hapus. Gallai ddefnyddio ei 'bwlpud' (*zimmer frame*) yn dda ac felly byddai'n crwydro ar wib i fyny ac i lawr y coridorau. Yna, syrthiodd a thorri ei glun. Ysywaeth, gwaethygu a wnaeth ac felly gorfu inni chwilio am le gwahanol a fyddai'n gallu ymateb i'w holl anghenion.

Yn y diwedd, wedi iddo dreulio ysbeidiau mewn wardiau ac unedau gwahanol, fe'i lleolwyd ym Mhlas Derwen, Pen-y-ffordd, Ffynnongroyw. Dyma gartref nyrsio arbenigol i rai â dementia. Gwnânt bob dim sydd bosib i gynnal Aled yn ôl ei anghenion dwys.

Yn dilyn clywed gwerthfawrogiad Beryl o agwedd a gwasanaeth y cartref, penderfynais fynd yno i gyfweld rheolwraig y cartref a'i dirprwy. Cefais argraff gyntaf ffafriol iawn. Atebwyd fy ngalwad ffôn heb unrhyw oedi, a oedd yn dra gwahanol i'm profiad o gartrefi eraill. Roedd y rheolwyr yn fwy na pharod i siarad am eu hathroniaeth a'u gwaith.

Pan gyrhaeddais i'w cyfarfod yn yr ardd, cefais groeso cynnes a hwyliog. Roedd y ddwy yn amlwg yn ymfalchïo yn eu gofal o'r preswylwyr. Roedd eu hymrwymiad i'r filltir ychwanegol yn gwbl glir gan fod y dirprwy wedi dymuno mynychu'r cyfarfod er ei bod ar ei gwyliau. Wrth sgwrsio, roedd yn amlwg fod y ddwy yn mwynhau ac, yn wir, yn caru eu gwaith. Roeddent yn ffraeth ac yn deimladwy iawn hefyd.

Roedd eu sgwrs am y preswylwyr yn llawn parch a chariad atynt fel unigolion. Eglurasant nad adeilad wedi ei gynllunio i bwrpas oedd hwn ond 'cartref' clyd. Roedd yn amlwg iddynt sefydlu diwylliant o ddisgwyliadau uchel ynghylch cymwysterau a phrofiad y staff. Mae pob aelod parhaol yn nyrs gofrestredig. Mae'r cymorthyddion hefyd yn cael eu hannog i ddilyn cyrsiau ym maes gofal.

Rhoddant bwyslais arbennig, hefyd, i'w lle yn y gymuned leol a thrwy hynny maent yn derbyn cefnogaeth frwd wrth gynnal gweithgareddau amrywiol i godi arian. Mae ymweliadau'r ysgolion cyfagos yn rhan annatod o fywyd y cartref.

Braint a phleser oedd treulio amser yn sgwrsio â'r ddwy reolwraig arbennig hyn, a oedd yn cyfeirio at y preswylwyr fel 'ein teulu bach'. Cofiais mai dyma y mae Beryl hefyd yn ei werthfawrogi. Mae Aled yn wir mewn lle rhagorol, yn derbyn y gofal gorau posib fel aelod o'r 'teulu bach'.

Gwerthfawroga Beryl, hefyd, ffrindiau ffyddlon Aled, sy'n parhau i ymweld ag ef. Arferent gael cymaint o hwyl gyda'i gilydd a byddai Aled yn mwynhau eu cwmni'n fawr iawn. Meddai Beryl:

> Er eu bod (cyn Covid-19) yn ymweld ag o'n gyson, byddent yn ddagreuol ac yn hynod emosiynol o weld ei ddirywiad. Erbyn hyn, fe gollodd ei allu i siarad – ac yntau wedi bod mor ffraeth a hwyliog. Ni all wneud unrhyw beth drosto'i hun chwaith.
>
> Diolchaf o waelod calon i'n ffrindiau am gadw mewn cyswllt agos gyda ni wrth inni ddygymod â'r salwch creulon hwn. Gwerth-fawrogaf hefyd eu parodrwydd i'm cludo'n rheolaidd i ymweld ag Aled. Cyfeillion go iawn, yndê?

Gwerthfawroga Beryl gefnogaeth eu cymdogion hefyd:

> Buont yn hynod ofalus ohonom. Byddant yn cysylltu â mi'n aml. Byddwn yn cadw golwg ar ein gilydd.

Soniodd hefyd am adwaith y teulu i gyflwr Aled:

> Mae'r teulu oll wedi bod yn ddoeth a chefnogol iawn. Rydym ill dau mor falch o'n hwyrion. Dyna oedd gwir ddiléit Aled uwchlaw popeth arall a wnaeth erioed, sef treulio amser gyda'i wyrion annwyl, a oedd hefyd yn ei addoli yntau. Mae hi'n anodd arnyn nhw – mae rhai eisiau cofio Taid fel yr *oedd* o ac eraill yn dymuno cadw'n agos ato am mai Taid *ydi* o.

Eglurodd Beryl beth oedd yn ei chynnal drwy'r cyfnod anodd hwn, gan gynnwys cyfnod clo Covid-19, pan na welodd Aled ers chwe mis ar wahân i gael lluniau rheolaidd ohono gan y cartref.

> Beth sydd yn fy mhoeni fwyaf yw na fydd yn fy nghofio i pan af i'w weld o'r diwedd.

Ni allwn ond edmygu Beryl am gadw'n gryf, yn obeithiol a diolchgar yng nghanol yr holl dreialon.

*   *   *

3 'Y ddau lyfr cownt ...'
Caryl Parry Jones a'i mam, Gwen

Ganed Gwen ym mhentref Ffynnongroyw yn Sir y Fflint ym mis Mawrth 1928, yn ferch i goliar a gwraig tŷ. Yn Ffynnongroyw yr oedd ei chartref hyd at 1969. Priododd y diweddar Rhys Jones yn 1953 a chawsant ddau o blant, Caryl a Dafydd. Bu farw Rhys yn 2015.

Astudiodd Gwen i fod yn athrawes yn y Coleg Normal ym Mangor. Cafodd yrfa hapus a llwyddiannus fel athrawes gynradd yn Ysgol Gynradd Gymraeg Dewi Sant, Y Rhyl, tan ei hymddeoliad. Bu'n *mezzo soprano* fedrus ac enillodd yn ei chategori yn yr Eisteddfod Genedlaethol unwaith o dan 25ain mlwydd oed a phum gwaith yn y brif adran. Enillodd gystadleuaeth ar y *lieder* hefyd yn Eisteddfod Rhos yn 1961. Yn ogystal â bod yn gantores brysur ac yn athrawes ymroddedig, treuliodd flynyddoedd ei hymddeoliad yn rhoi gwersi canu i blant yr ardal. Ffurfiodd Gôr y Glannau. 'Canu, plant a Dad oedd ei byd,' meddai Caryl.

Caryl a'i mam

Ganed Caryl yn Llanelwy ym mis Ebrill 1958. Fe'i haddysgwyd yn Ysgolion Cynradd Mornant, Ffynnon-groyw a Dewi Sant, Y Rhyl. Aeth ymlaen i fod yn ddisgybl yn Ysgol Uwchradd Glan Clwyd cyn dilyn cwrs gradd yn y Gymraeg yn y Brifysgol ym Mangor.

Symudodd i Gaerdydd ym 1979 i ddilyn gyrfa fel cyflwynydd rhaglenni plant. Bu'n hynod lwyddiannus yn y diwydiant adloniant ers hynny. Bu ganddi sawl cyfres ar S4C ym meysydd cerddoriaeth a chomedi. Ysgrifennodd sioeau, ffilmiau a chyfresi adloniant. Cyhoeddodd lyfrau amrywiol i blant. Bu'n canu mewn sawl band a chyhoeddodd sawl recordiad cofiadwy fel unigolyn.

Ei phrif ddiléit yw cyfansoddi. Cyfansoddodd ganeuon dirifedi ar gyfer trawsdoriad eang o arddulliau a lleisiau, yn ogystal â cherddoriaeth ar gyfer sioeau cerdd a ffilmiau.

Fe'i derbyniwyd i'r Wisg Wen yng Ngorsedd y Beirdd yn Eisteddfod Caerdydd yn 2008. Derbyniodd radd anrhydeddus Athro mewn Cerddoriaeth gan Brifysgol Cymru ac fe'i gwnaed yn Gymrawd o Brifysgol Bangor, Coleg Brenhinol Cerdd a Drama Cymru, a'r Gymdeithas Deledu Frenhinol. Derbyniodd y Wobr 'Cyfraniad Arbennig' yng Ngwobrau Roc a Phop BBC Radio Cymru yn 2007 a hi oedd Bardd Plant Cymru yn 2008.

Mae hi'n byw ym Mro Morgannwg gyda'i gŵr, Myfyr Isaac. Mae ganddi bedwar o blant, Elan, Miriam, Moc a Greta; llysfab, Gideon; ac un ŵyr, Jim.

39

Meddai Caryl am ei mam:

> Dau gariad oedd gan Mam yn ei bywyd – ei thad, Gwilym Parry, a'i gŵr, Rhys. Carai'r ddau yn llwyr drwy gydol ei bywyd. Coliar diwylliedig oedd Gwilym a fu farw â'i ysgyfaint yn ddau golsyn o effaith llwch glo. Mam oedd cannwyll ei lygad; roedd y ddau yn rhannu'r un angerdd at ganu ac eisteddfodau. Hyd heddiw, mae Mam yn parhau i alaru a hiraethu amdano.
>
> Daeth Rhys i'w bywyd yn nechrau'r 1950au. 'Welais i erioed y fath ddau gariad â nhw. Roedden nhw dros eu pennau a'u clustiau mewn cariad. Byddent yn datgan eu cariad hyd nes i Dad gymryd ei anadl olaf yn Ysbyty Glan Clwyd ym mis Ionawr 2015.

Eglurodd Caryl rai o effeithiau dementia ei mam ar fywyd bob dydd y teulu:

> Er hyfryted oedd dyfnder cariad y ddau, roedd penderfynoldeb Mam i ofalu am Dad pan oedd yn wael yn peri problemau diri' i Dafydd, fy mrawd; Gwyn, brawd ienga' Mam, a minnau. Y broblem oedd bod Mam erbyn hynny yng nghrafangau dementia. Byddai'n ail-ofyn yr un cwestiynau dro ar ôl tro a byddai'n mynnu nad oedd yr un gofalwr na darparwr bwyd yn cael dod i'r tŷ. 'Be 'sa pobl yn 'i ddeud? *No indeed*, **fi** sy'n edrych ar ei ôl o,' meddai.
>
> Yna, byddai'n colli pethau yn dragywydd a byddai'n aml iawn yn rhoi'r bai ar Dad. Unwaith, fe gollodd ddau lyfr cownt o wahanol Gymdeithasau Adeiladu gan achosi cur pen mawr iddynt ill dau. Ceisiodd Gwyn ei orau i helpu. Fodd bynnag, gwrthododd y Cymdeithasau Adeiladu ein helpu. Y drafferth oedd bod angen i Dad ymweld â'r canghennau'n bersonol i arwyddo'r papurau priodol. Ond doedd o ddim yn medru symud.
>
> Dro arall, collodd Mam bedair amlen ac ynddyn nhw £50 yr un i'w rhoi i'r plant. Yna bu 'showdown' gwirioneddol rhyngom ni'n dwy wrth i Mam fynnu cario **naw can punt mewn arian parod** yn ei *handbag*. 'Well i ti beidio, Mam. Be' 'sa rhywun yn dwyn dy fag di neu [anadl ddofn] dy fo' ti'n ei golli o?' Yna, rhoddodd ffrae go iawn i mi am fusnesu, a deud wrtha' i be' i 'neud.

Ymhen tipyn, sylweddolodd Caryl mai Rhys fyddai bob amser yn ateb y ffôn. Hefyd, mewn cwmni, Rhys fyddai'n gwneud y siarad i gyd.

Dad oedd, wrth gwrs, yn siarad ar ran Mam. Roedd Dad druan yn cael trafferth symud wrth i'w salwch ddwysáu. O sgwrsio gydag o, roedd yn gefnogol iawn i'r syniad o gael help a rhywun i gludo bwyd parod i'r tŷ. Wedi iddo gytuno i'r syniad, byddai Dad yn ddi-ffael yn galw'n ôl mewn rhyw hanner awr, gan ddweud, 'Paid â g'neud dim byd hefo'r bwyd a'r help. Mi fyddwn ni'n iawn am rŵan.'

Gwyddai Dafydd a Caryl mai Gwen fyddai wedi gwrthod yr help ac nid Rhys. Erbyn hynny roedd wedi anghofio sut i goginio. Hefyd, roedd y microdon a'r popty nwy yn arfau peryglus yn ei dwylo. Yn ôl bob tebyg, llwyddodd unwaith i 'feicrodonio 'myshrwms' am 90 munud.

Gwen a Rhys

Meddai Caryl:

Llwyddais i gael sgwrs hefo Dad unwaith pan biciodd Mam i'r siop: 'Ti'n gorfod ailadrodd dy atebion lot, yn dwyt, Dad?'
'Paid â sôn,' meddai Dad hefo rhywfaint o ryddhad ond llond calon o dristwch.
'Tasa hi'n *gweld* rhywun, Dad, mi allech chi gael help ac mi gâi Mam dabledi a chymorth arbennig.'
'Neith hi byth,' oedd ymateb Dad.

Cofiai Caryl sut y byddai'i thad yn gofyn i Gwen ddod ag ychydig o domatos, sleisen o ham a thorth adre gyda hi o'r siop gyfagos. Fodd bynnag, yn unol ag effeithiau'r clefyd, anghofiai y rhestr, gan gludo llwyth o gacennau a phethau melys adre yn eu lle. Byddai Rhys bob amser yn canmol ei dewis, beth bynnag oedd ei farn.

Gwaethygodd pethau'n sylweddol ar ôl marwolaeth Rhys:

Pan gollodd hi Dad chwalwyd ei byd a dirywiodd y dementia ar gan milltir yr awr.

Fe ddwedon ni oll ein ffarwél olaf wrth Dad yn ei stafell glyd yn Ysbyty Glan Clwyd. Erbyn inni gyrraedd y maes parcio, roedd Mam wedi anghofio beth oedd newydd ddigwydd. Drannoeth ei farwolaeth, cwestiwn cyntaf Mam oedd, 'Lle ma' Rhys?' Gorfu imi esbonio dro ar ôl tro ei fod wedi marw.

Pan ddechreuodd y llu o ymwelwyr alw yn y tŷ i gydymdeimlo, bu'n rhaid i mi esbonio wrthynt wrth y drws bod Mam yn siarad am farwolaeth ei thad, nid am farwolaeth ei gŵr: 'Yr hen pneumo 'na ga'th o. Llwch y glo, 'dach chi'n gweld.'

Dydi hi ddim yn cofio angladd Dad. Yn wir, erbyn hyn nid yw chwaith yn cofio Dad yn hen, ond mae'n ei adnabod yn lluniau du a gwyn ei lencyndod: 'Ew, o'dd hwn yn gariad; o'n i'n meddwl y byd ohono fo. Iesu, o'dd o'n gallu chware'r piano 'na.'

Fis ar ôl colli eu tad, cafodd Caryl a Dafydd alwadau gan yr heddlu ar ddau benwythnos yn olynol yn dweud eu bod wedi ffeindio Gwen yn ei choban yn crwydro strydoedd Prestatyn yn hwyr yn y nos.

O ganlyniad fe dreuliodd gyfnod mewn cartref gofal bach ym Mhrestatyn. Roedd hi'n benderfynol o fynd yn ôl adre, ond gorfu iddi gytuno i dderbyn gofal. Doedd hi ddim yn hoff o'r syniad o gwbl wrth gwrs. At hynny, doedd ambell ofalwr ddim yn ei phlesio o gwbl.

Ond a deud y gwir yn onest, mae gen i biti garw dros ofalwyr teithiol. Prin iawn ydi'r cyfle iddyn nhw ddod i adnabod eu cleifion. Mae eu hamserlen yn hynod brysur ac o ganlyniad mae eu hagwedd yn *gorfod* bod yn rhyw *'one size fits all'*. Nid oes ganddynt yr amser i roi i'r cleifion yr hyn sydd ei wir angen arnynt, sef cwmni a sgwrs.

Ar ôl iddi hi ddychwelyd adref, byddai Gwyn, f'ewythr, yn cael galwadau ganol nos i ddweud bod 'na rywun yn y tŷ. Dro arall i ddweud bod 'na fand yn chwarae yn yr ardd gefn, bod 'na *dancing girls* yn paredio i lawr y stryd mewn ffrogia hardd. Mi ro'n i'n cael galwadau i ddweud naill ai bod Dad wedi rhedeg i ffwrdd hefo hogan arall neu iddo orfod byw oddi cartref am ei fod yn chwarae'r organ mewn *Summer Season* yn y Rhyl. Dro arall, dywedodd ei fod wedi penderfynu mynd yn weinidog i Gaerdydd.

Un noson, yn dilyn codwm ar ôl i Gwen redeg i'r stryd yn meddwl ei bod mewn cae, doedd dim amheuaeth gan Dafydd a Caryl a Gwyn na allai fyw gartre'n ddiogel wedi iddi wella.

Doedd dim ffordd yn y byd y gallai Daf na fi ei chael i fyw aton ni. Dw i'n byw'n rhy bell oddi wrth bawb, ac mae Dafydd a'i wraig, Fiona, yn gweithio'n llawn-amser. Hefyd, mae ganddyn nhw ddau fab sydd angen eu sylw a'u hamser.

'*Cue* euogrwydd ...' medd Caryl.

A dyma lle nad ydi'r stigma ddim yn gneud sens. Mi dorrodd Mam ei chlun a'i harddwrn; felly, doedd dim rhaid meddwl ddwywaith am ei hanfon i'r ysbyty. Yno, cafodd ofal gan staff oedd wedi eu hyfforddi i drwsio'i choes. Roedd y rhain hefyd yn newid shifft bob wyth i ddeg awr.

Mae ganddi glefyd sy'n graddol ddinistrio ei hymennydd a dyma ni'n dau yn pwyso a mesur a ddylsen *ni* ofalu amdani, drwy'r dydd a phob dydd. Hurt yndê?

Felly, er Hydref 2015, mae Mam wedi bod yng Nghartref Gofal Dolanog yn y Rhyl, gyda'r pwyslais ar *ofal*. Ac mae hi, yn wir, yn cael gofal bendigedig. Mae'r staff yn amyneddgar, yn gariadus, yn hwyliog, yn sensitif, yn abl, yn ddi-feddwl-ddrwg. Dydyn nhw byth yn cwyno na byth yn beirniadu.

A Mam? Un peth, ac un peth yn unig, sydd ar ei meddwl – sef mynd yn ôl i Ffynnongroyw i fyw efo'i mam. Nid ei thad, nid Rhys, ac yn bendant nid ei phlant. Dydyn nhw bellach ddim yn rhan o'i hanes.

Weithiau, mae hi'n fy nabod, weithiau fi ydi ei mam neu Menna, ei diweddar chwaer. Weithiau, dw i'n hardd, weithiau dw i'n hyll; weithiau dw i'n dda, weithiau dw i'n ddrwg. Weithiau, dw i efo hi am awr neu ddwy, weithiau, mae hi isio i mi fynd ar ôl chwarter awr.

Does dim posib cael sgwrs. Mae'i chlyw wedi dirywio'n arw ac mae hi'n colli'r gallu i siarad, ac felly mae'i brawddegau hi'n gymysglyd a'r geiriau'n ddigyswllt.

43

Dywedodd Caryl mai profiad od oedd clirio'r tŷ. Roedd digonedd o brawf o fywyd hapus ei rhieni, eu ffrindiau cerddorol triw, yr holl blant y bu ei mam yn eu dysgu.

Roedd yno gopi ar ôl copi o unawdau a threfniannau corawl, rhaglenni, toriadau, a mynydd o luniau'n llawn heulwen a chwerthin.

A reit ar waelod un drôr, o dan lwyth o lieiniau bwrdd a *serviettes*, dwy hosan ac ynddyn nhw ... **ddau lyfr cownt!**

A dyma gân a ysgrifennodd Caryl am ei rheini a'u cariad gydol oes:

Adre

Os yw'th seren di ar goll ar noson ddu,
Tyrd adre'n ôl, nôl ata i;
Os yw'r storm yn codi dros erwau'r lli,
Tyrd adre'n ôl, nôl ata i.

Ac os nad yw'r wawr yn dwyn goleuni'r dydd,
Tyrd adre'n ôl, nôl ata i,
A heddiw byth am d'adael di yn rhydd,
Tyrd adre'n ôl, nôl ata i.

Gad i'r dagrau fu'n dy lethu di
Ddweud ffarwél wrth yr ofnau i gyd;
Gad i'th galon guro i'th adael nawr
Yn rhydd drachefn i redeg nôl.

Wrth i'r poenau gilio a throi'n nerth i ti,
Tyrd adre'n ôl, nôl ata i.
Pan ddangosi i'r byd pwy fyddi di o hyd,
Tyrd adre'n ôl, nôl ata i.

Gad i bob un golau weli di
Dy arwain nôl,
Nôl ata i.

* * *

44

4 'Henaint, dementia – a thor calon'

Christine James a'i mam, y ddiweddar Muriel Christine Mumford

Ganed Muriel Christine Randle yn 1927 yn Nhrealaw, i deulu a ddaeth i Gwm Rhondda i chwilio am waith yn ardal y pyllau glo. Symudodd ei rhieni i Benrhiw-fer pan oedd hi'n blentyn ifanc, ac yno y treuliodd ei hieuenctid. Dechreuodd fynychu Eglwys Sant Illtud yn Nhrewiliam gerllaw (lle bu'n aelod ffyddlon nes iddi fynd yn rhy eiddil). Yno, a hithau yn ei harddegau, y cwrddodd â Thomas John Mumford – yntau'n aelod reit *dashing* o'r *Church Lad's Brigade* ar y pryd. Priododd y ddau yn 1949, gan symud i fyw i Primrose Street, Tonypandy. Yno y buont ar hyd eu bywyd priodasol. Cawsant un ferch, Christine.

Gadawodd Muriel yr ysgol yn 14 oed, ond roedd mwy na digon yn ei phen wrth drin iaith a ffigyrau. Roedd yn gantores dda iawn ac yn un fedrus wrth weu a chrosio. Bu'n gweithio fel cynorthwyydd mewn siop ddillad yn Nhonypandy cyn i Christine gael ei geni. Dychwelodd i weithio'n rhan-amser yn yr un siop wedi i Christine gyrraedd dosbarth olaf yr ysgol gynradd. Fodd bynnag, gwraig tŷ oedd Muriel yn y bôn, a'i chartref a'i theulu yn bopeth iddi. Peiriannydd yn y pwll glo oedd Tommy.

Ganed Christine yn Nhonypandy yn 1954, ac fe'i magwyd yn unig

Christine a'i mam

blentyn ar aelwyd ddi-Gymraeg 'dosbarth gweithiol'. Roedd digonedd o lyfrau yn y cartref, ynghyd â cherddoriaeth o wahanol fathau – clasurol, corawl, bandiau pres, ac yn y blaen. Roedd emynau a chaneuon operâu poblogaidd Gilbert & Sullivan yn ffefrynnau mawr gan ei rheini.

Dechreuodd Christine ddysgu'r Gymraeg fel ail iaith ym mlwyddyn gyntaf Ysgol Ramadeg y Merched yn y Porth. Aeth ymlaen i raddio yn y Gymraeg yn Aberystwyth yn 1975, ac yna ennill Ph.D. ym maes Cyfraith Hywel. Yn dilyn cyfnod gyda'r Academi Gymreig, fe'i penodwyd yn ddarlithydd rhan-amser yn Adran y Gymraeg, Prifysgol Abertawe, yn 1986. Gorffennodd ei gyrfa yno'n Athro ac yn Bennaeth Adran.

Dechreuodd farddoni yn 2002 yn sgil cyfnod o salwch, gan ennill Coron Eisteddfod Genedlaethol Eryri a'r Cyffiniau yn 2005. Fe'i hetholwyd yn Archdderwydd Cymru am y cyfnod 2013-16, a hi bellach yw Cofiadur yr Orsedd – y fenyw gyntaf i ddal y ddwy swydd hynny. Mae'n byw yn yr Eglwys Newydd, Caerdydd, ac yn briod â'r ysgolhaig E. Wyn James. Mae ganddynt dri o blant a phump o wyrion.

Meddai Christine:

> Ar ôl i 'Nhad farw yn 1996, llwyddodd Mam i fyw ei hun am ryw ugain mlynedd. Wrth fwrw golwg yn ôl, sylweddolaf nad oedd hi'n wir ddiogel i fod yno ar ei phen ei hun erbyn y diwedd. Fodd bynnag, roedd hi'n ffyrnig o annibynnol. Yn wir, er i ni geisio ei darbwyllo droeon i symud i fyw yn nes atom – neu o leiaf i dderbyn cymorth gofalwyr – gwrthwynebai bob awgrym o'r fath yn gwbl bendant.

Pryd y dechreuodd pethau fynd o'i le, felly? A beth a allai'r teulu fod wedi ei wneud yn wahanol?

> Dyma ddau gwestiwn fu'n troelli yn fy mhen ers marwolaeth Mam yn gynharach eleni [2020]. Ar un ystyr, roedd y dirywiad yn ei hiechyd corfforol a meddyliol mor raddol nes ei bod yn anodd rhoi bys ar unrhyw beth penodol. Ar y llaw arall, roedd rhai arwyddion yn pwyntio i'r cyfeiriad roedd pethau'n mynd, pe na bawn i ond wedi bod yn fwy effro iddynt – neu'n fwy parod i'w cydnabod.
>
> Dechreuodd Mam gwympo. Digwyddodd hynny y tro cyntaf

ychydig cyn ei phen-blwydd yn 80 oed, gyda'r canlyniad iddi *orfod* dod i fyw atom ni tra oedd ei choes mewn plaster. Ond aeth adref fel siot unwaith y tynnwyd hwnnw! Cafodd sawl codwm wedyn. Yn yr ystafell ymolchi ... yr ystafell wely ... y gegin ... Yna cwympodd ar y pafin y tu allan i'r tŷ gyda'r nos ryw dridiau cyn y Nadolig, gan dorri ei sbectol yn sitrws. Arhosodd gyda ni eto am sbel i ymadfer – ac wedyn aeth adre'n ôl cyn gynted ag y gallai. Bu ganddi *Lifeline* – botwm i'w wisgo o gwmpas ei gwddf a'i wasgu mewn argyfwng. Fodd bynnag, bob tro roedd hi angen galw am gymorth, roedd y *Lifeline* wedi ei osod yn dwt ar y ford ar bwys ei chadair – ond allan o'i chyrraedd.

Dyna'r galwadau ffôn wedyn. Doedd dim dŵr twym yn y tap – roedd hi wedi diffodd y boiler! Doedd y peiriant golchi ddim yn gweithio – roedd wedi tynnu'r plwg o'r soced! Roedd y tŷ'n oer – roedd hi wedi ffidlan gyda chloc y gwres canolog!

Fodd bynnag, y galwadau gwaethaf a gafodd Christine oedd y rheini yn oriau mân y bore ganol gaeaf. Byddent yn digwydd am bedwar neu bump o'r gloch – pan oedd ei mam wedi drysu'n lân, yn meddwl ei bod yn ddiwedd prynhawn, ac yn methu deall pam yr oedd Christine yn ei gwely!

Dyma ddod â hi i'n tŷ ni eto am gyfnod er mwyn ailosod ei chloc mewnol – cyn iddi fynnu dychwelyd adref a gwrthod unwaith yn rhagor ystyried derbyn help rheolaidd. Yn gynyddol, gwelwn arwyddion bychain eraill nad oedd pethau'n iawn. 'Fyddai dim cymaint o raen ar ei dillad ag arfer; byddai'r bwyd 'iawn' a brynwyd iddi yn cael llonydd a'r cacenni'n diflannu mewn chwinciad; byddai ambell sgwrs yn cymryd tro annisgwyl neu swreal, pan fyddai'n honni iddi fod am dro i rywle neu weld rhywun y gwyddwn yn iawn na allai fod yn wir.

O'r diwedd, yn sgil codwm arall – eto fyth – daeth y gwasanaethau cymdeithasol yn rhan o'r darlun, a deuai gofalwyr i'r tŷ deirgwaith y dydd.

Bu'n rhaid inni frwydro'n galed i drefnu hyn, ond stori arall yw honno. Wedi llawer o ddadlau a thaeru, llwyddon i'w pherswadio hyd yn oed i ddod â'i gwely i lawr grisiau. Ond roedd y cwbl yn groes-graen iddi. Gwnâi Mam bopeth yn ei gallu i 'brofi' nad oedd angen cymorth arni. Byddai'n codi a gwisgo cyn i'r gofalwyr gyrraedd yn y bore. Honnai iddi eisoes gael brecwast / cinio / swper, ac nad oedd angen iddynt baratoi bwyd iddi. Gwrthodai gynnal sgwrs am ei bod yn gwylio'i hoff raglen deledu ... Druan o'r gofalwyr! A druan hefyd o Mam, a oedd ymhell iawn o fod yn hi ei hunan erbyn hynny.

Roeddwn i yn y canol, yn gweld bod angen y cymorth arni, ond yn methu'n lân â'i darbwyllo i'w dderbyn. Fodd bynnag, daeth tro ar fyd yn oriau mân fore Sul, 10 Gorffennaf 2016. Cwympodd Mam a thorri ei chlun. Cafodd glun newydd, ond methodd y *physios* ei chael hi'n ôl ar ei thraed. Yn ystod yr wythnosau hir hynny yn yr ysbyty, gwelwn Mam yn dirywio o flaen fy llygaid, ac yn drysu'n gynyddol.

Rhyddhad, mewn gwirionedd, oedd derbyn diagnosis o *vascular dementia* o'r diwedd, a olygai na fyddai'n ddiogel iddi fynd adref i'w thŷ ei hunan. Penderfynwyd mai'r dewis gorau er lles Mam oedd cael lle iddi mewn cartref nyrsio. Gan fod gen i Bŵer Atwrnai dros faterion ei hiechyd a lles mewn da o bryd, trefnais iddi fynd i gartref oedd yn gyfleus i mi fedru ymweld â hi'n rheolaidd.

Yn groes i bob disgwyl, setlodd mam Christine yn rhyfeddol o dda yn y cartref nyrsio.

Roedd ei phethau ei hun o'i chwmpas a lluniau'i hwyrion a'i gorwyrion ar wal ei hystafell. Er na lwyddwyd i'w chael i gerdded, o ganlyniad i'r rwtîn sefydlog, prydau bwyd rheolaidd a gofal 24/7 gan y staff, dechreuodd Mam wir ffynnu. Rhoddodd bwysau ymlaen, a chliriodd ei meddwl gryn dipyn. Roedd ei chof tymor-byr yn parhau'n wan a châi rai pyliau dryslyd (A fyddai ei rheini yn y tŷ pan âi adref? Oedd allwedd drws y ffrynt ym mhoced ei chot yn y cwtsh dan staer?).

Er i Mam ddirywio ymhellach yn ystod ei misoedd olaf, roedd hi'n f'adnabod i a gweddill y teulu hyd y diwedd – a chofiai ddyddiad pen-blwydd pob un ohonom! Ei theulu oedd popeth i Mam.

Bu farw Mam ar 14 Ebrill eleni, lai na mis ar ôl i'r cartref gau ei ddrysau i ymwelwyr oherwydd Covid-19.

Gan na allai Christine ymweld â hi, anfonai lythyrau a siocledi ati, i geisio ei sicrhau nad oedd hi'n angof. Ond yn yr amgylchiadau rhyfedd ac unig a orfodwyd arnom ni i gyd eleni, cred Christine i'w mam anobeithio'n lân a 'rhoi i fyny'.

Henaint a *dementia* sydd ar y dystysgrif farwolaeth. Dichon fod lle i ychwanegu 'a thor calon'.

* * *

5 'Hanner un wyf yn nhir neb'
'Cymro' am ei ddiweddar wraig

Cyfarfu'r gŵr oedrannus hwn a'i wraig pan oeddent yn eu harddegau. Priododd y ddau yn ifanc. Cawsant ddau o blant ac mae ganddynt nifer o wyrion. Bu'n bennaeth ysgol, hynod o boblogaidd ac uchel iawn ei barch. Gŵr diwylliedig, goleuedig a gweithgar yn ei gymuned, yn ffigwr cenedlaethol yn wir. Bu farw ei wraig o ddementia wedi treulio rhai blynyddoedd mewn cartref gofal.

Er yn barod iawn i gael ei gyfweld, nid oedd yn gyfforddus mwyach i ysgrifennu nac imi ei enwi yn y gyfrol ychwaith. Roedd ei blant, hefyd, yn gyndyn i'w tad 'fynd yn gyhoeddus' am gyflwr a salwch eu mam nac i sôn am ei effaith arnynt fel teulu.

Pleser o'r mwyaf oedd ei gyfarfod yn ei ardd hyfryd wrth i gyfyngiadau cyfnod clo'r pandemig lacio a'i ganfod yn edrych mor iach ac ifanc. Roedd ailymweld ag amser salwch ei wraig a thrafod hynny yn amlwg yn anodd ac yn emosiynol iddo.

Rwy'n teimlo'n euog rywsut ac wedi crio llawer. Roeddwn yn ei charu gymaint. 'Heb dy wên, heb dy wyneb, hanner un wyf yn nhir neb.'

Er iddo gadw dyddiaduron manwl o'r adeg honno, roedd eu hailddarllen yn ormod iddo.

Felly, ar ôl deuddeng mlynedd, rwy'n trio'n galed i gau popeth allan er mwyn i minnau hefyd gael byw.

49

Cofiai gysgod cyntaf cwmwl y salwch yn disgyn ar ei wraig ryw bymtheng mlynedd cyn iddi orfod mynd i gartref gofal llawn-amser. Dechreuodd anghofio enwau aelodau o'r teulu ac fe gafodd anawsterau wrth yrru car nes bod eraill yn sylwi. Yn ogystal, câi drafferthion wrth ymwisgo i fynd i'r oedfa nos Sul. Achosai hynny loes iddi ac fe gollodd ei hyder i fynd i unrhyw fan gyhoeddus heb ei chymar.

Felly, penderfynodd ei gŵr ofalu amdani ei hunan gartref. Gofynnodd am gymorth y gwasanaethau cymdeithasol i'w gefnogi. Gwaetha'r modd, nid oeddent yn cynnig gofal cyfrwng Cymraeg a buan iawn y bu'n rhaid atal y gefnogaeth aneffeithiol honno.

Gyda dirywiad y cyflwr, roedd ei wraig yn syrthio'n aml ac felly rhaid oedd cysylltu â'r meddyg teulu. Yn dilyn ymweliad dwy nyrs, penderfynwyd ei chyfeirio'n ddisymwth am asesiad i uned arbenigol yr ysbyty lleol. Ni chaniatawyd i'w gŵr fod gyda hi. Roedd hithau'n gwbl ar goll hebddo ac fe wrthododd yn bendant fynychu'r eildro: lleoliad anghyfarwydd, pobl ddiarth a diffyg cyfathrebu yn y Gymraeg.

Gwrthodwyd ei gais gan yr uned i'w hasesu gartref, gan fynnu y dylai hi aros yno am bedwar diwrnod. Er iddo deimlo *ym mêr ei esgyrn* nad hwn oedd y lle iawn iddi, doedd ganddo ddim dewis ond ei gadael yno. Teimlai'n boenus a thu hwnt o euog.

Pan ddychwelodd i ymweld â hi, roedd yn hynod anhapus am agwedd y staff at ei wraig a'u triniaeth ohoni. Cafodd hyd iddi ar ei phen ei hunan yn gleisiau i gyd ar ôl codwm. Roedd hyn yn gwbl annerbyniol a phenderfynodd gwyno'n uniongyrchol i bennaeth yr uned am ansawdd cywilyddus yr oruchwyliaeth a difaterwch y staff. Ymateb y pennaeth ar y pryd oedd: *'The culture of care here needs to be changed.'* Yn fuan wedyn, yn dilyn rhagor o gwynion, bu archwiliad allanol o'r uned, a'r canlyniad fu ei chau. Yn amlwg, nid oedd gan y pennaeth hwn ddylanwad digonol i wella diwylliant yr uned ac ansawdd y gofal a gâi'r cleifion.

Gadawyd i'w wraig ddod adref o'r diwedd wedi archwiliad corfforol trwyadl. Eto fyth, ni dderbyniodd unrhyw eglurhad, gwybodaeth, cyngor na chyfarwyddyd ynghylch ei chyflwr i'w helpu i ddeall ei hanghenion nac amlinelliad o beth i'w ddisgwyl i'r dyfodol.

Mewn ychydig ddyddiau, dwysaodd ei hanghenion a phenderfynodd yr arbenigwyr a'r teulu fod angen gofal amser-llawn arni mewn cartref arbenigol. Bu'r gŵr o flaen panel yn yr ysbyty lleol lle trafodwyd o'i flaen pa wasanaeth fyddai'n cyfrannu at gyllido ei gofal – naill ai'r gwasanaeth iechyd neu'r gwasanaeth cymdeithasol. Bu'n loes iddo orfod bod yn dyst i'r fath drafodaeth boenus.

Bu hi yn y cartref am rai blynyddoedd ac roedd ei gŵr yn ddiolchgar bod agwedd y staff yno yn well o lawer nag yn yr uned asesu. Yno gallai dreulio rhai oriau yng nghwmni ei wraig yn ddyddiol i helpu i'w bwydo ac i gadw golwg arni.

Roedd ei wraig wedi mwynhau cerddoriaeth ar hyd ei bywyd a bu'n aelod ffyddlon o gôr lleol. Tra oedd yn y cartref, sylwodd ei gŵr ei bod hi'n ymateb i fiwsig. Ar sail hynny, paratôdd y teulu gasét iddi wrando arno. Roedd y gerddoriaeth gyfarwydd yn amlwg yn lleddfu'r meddwl ac, o bryd i'w gilydd, byddai'n ymuno a chanu'n uchel gyda thraw cywir. Roedd hi'n eli i'r galon iddo, wrth ei gweld yn ymateb a mwynhau.

Wrth edrych yn ôl, sylweddola fod ei deimladau o euogrwydd yn parhau am iddo bryderu cymaint am adwaith eraill. Poenai rhag ofn y byddai stigma'r sefyllfa yn adlewyrchu'n ddrwg arno ef a'i deulu, yn enwedig o gofio ei safle yn y gymdeithas. O ganlyniad, celodd y manylion oddi wrth bawb a phenderfynodd wneud ei orau i ofalu am ei wraig ar ei ben ei hun. Ceisiodd beidio ag amharu ar fywydau ei blant gan eu bod yn prysur sefydlu gyrfa a magu plant.

Rhannodd y gŵr hwn ei ymdeimlad dwfn o unigrwydd a'i siom yn rhai o'i gyfeillion agos a gadwodd draw heb nac ymweliad na galwad ffôn. Tybiodd mai gwraidd eu hymddygiad oedd naill ai embaras neu stigma parthed iechyd meddwl.

*   *   *

6 'Ia, ond Mam ydi hon'

E. Dilwyn Jones a'i ddiweddar fam, Sarah Elizabeth Jones

Ganed Sarah Elizabeth Jones ym Mheniel ger Dinbych yn 1930, ond symudodd y teulu i Bentrecelyn ger Rhuthun yn fuan iawn wedyn. Ar ôl sefyll ei harholiadau Lefel A, bu'n athrawes ddi-dystysgrif cyn cymhwyso'n athrawes yng Ngholeg Cartrefle, Wrecsam. Bu'n gweithio wedyn yn Ysgolion Cynradd Llanelidan, Pentrecelyn a Llanfair Dyffryn Clwyd, cyn cael swydd yn Ysgol Borthyn yn Rhuthun yn 1958, lle y bu'n athrawes a dirprwy-brifathrawes hyd ei hymddeoliad cynnar (iawn) yn 50 oed yn 1980 er mwyn gofalu am ei gŵr, Arfon, a briododd yn 1960 ac a oedd erbyn hynny'n dioddef o Glefyd Parkinson.

Yn 1962 y ganed ei hunig fab, Dilwyn, a fu'n ddisgybl yn Ysgol Borthyn yn Rhuthun ac yn Ysgol Brynhyfryd nes cwblhau ei astudiaethau Lefel A yn 1980. Yna, dechreuodd weithio mewn swyddfa gyfreithiol lle y bu am dros 30 mlynedd, gan gymhwyso'n llawn fel Gweithredydd Cyfreithiol trwy astudio'n rhan-amser. Bellach, mae wedi ymddeol yn rhannol. Bu'n byw yn Ninbych er 1982. Mae'n flaenor yn ei gapel er 1984 ac yn pregethu'n lleyg er 1992. Mae'n dal sawl swydd ar bwyllgorau cymdeithasau ac elusennau lleol.

Dilwyn a'i fam

Meddai Dilwyn:

> Y geiriau 'Ia, ond **Mam** ydi hon' oedd f'ymateb cyntaf wrth i fy niweddar fam ddechrau arddangos arwyddion o ddementia. (Bu hi farw â dementia yn 2017 wedi i ni ein dau gyd-fyw am hanner cant a phump o flynyddoedd.) Yn ystod dros ddeng mlynedd ar hugain ym myd y gyfraith, bûm yn delio â phobl oedd yn byw gyda phobl ddryslyd, ddi-deulu, yn ceisio creu trefn o anhrefn eu gwaith papur a'u buddsoddiadau ac ati. Ond roedd hyn yn wahanol: **Mam** oedd hon. Nid oedd fy holl brofiad yn gymorth nac yn baratoad wrth i rywun annwyl ac agos ddechrau byw â dementia: 'Ia, ond **Mam** ydi hon' oedd y gri.

Erbyn hyn, mae Dilwyn yn gadeirydd Grŵp Dinbych Dementia Gyfeillgar. Mae hefyd yn gweithio'n rhan-amser i *Book of You*, cwmni cymunedol sy'n paratoi llyfrau atgofion digidol yn arbennig ar gyfer pobl sydd â dementia.

Meddai ymhellach:

> Yr arwydd mawr cyntaf o ddementia yn achos Mam oedd pan ddechreuodd sôn am hen gariad iddi (un y dyweddïodd ag ef ddwywaith yn y 1950au) fel pe bai'n dal yn fyw ac yntau, druan, wedi marw ers cryn chwarter canrif erbyn hynny. Dyma nodwedd eithaf cyffredin. Ar y dechrau, nid oeddwn am goelio bod **Mam** o bawb yn dechrau 'ei cholli hi' – 'Ia, ond **Mam** ydi hon.'
>
> Felly, ar y dechrau yr oeddwn yn ei chywiro a dweud fod y cyn-gariad wedi marw; a daliwn ymlaen i'w chywiro pan fyddai Mam yn dweud fy mod yn anghywir neu'n dweud na ddywedodd neb hynny wrthi hi. Dyma'r peth gwaethaf i'w wneud, mewn gwirionedd. Rhaid mynd gyda'r lli a chytuno pa mor rhyfedd bynnag y gall hynny ymddangos ar adegau.
>
> Ar ôl ychydig, penderfynais ymateb i gais Mam i mi chwilio am rif ffôn neu gyfeiriad y cyn-gariad ar fy nghyfrifiadur. Cytuno a mynd ar y cyfrifiadur – ond yna ymateb y byddwn i e-byst oddi wrth fy ffrindiau tra oeddwn ar y cyfrifiadur. Yr oedd Mam yn hapus wedyn, yn credu fy mod yn ymchwilio ac, ymhen tipyn, byddai'n

dweud wrthyf am adael y peth 'am rŵan' a gwneud paned i ni ein dau.

Roedd cyn-gariad Sarah ar ei meddwl yn aml, ac meddai Dilwyn:

Cofiaf iddi ddweud wrthyf un diwrnod, ei bod wedi cael diwrnod ardderchog gan fod y cariad wedi galw i'w gweld a mynd â hi am dro yn ei gar ar hyd yr hen lwybrau. 'Ddywedais i ddim ond gwyddwn yn ddigon da fod y cyn-gariad wedi marw. Hefyd, hyd y gwyddwn i, dim ond un car fu ganddo erioed sef hen *Volkswagen* a hwnnw am gyfnod digon byr. Pan feddyliodd nad oeddwn yn ei choelio, ychwanegodd at ei stori, gan ddweud mai *Mercedes* oedd y car.

Pan adroddais y stori wrth un o'i nithoedd, dywedodd y byddai'r hen gariad yn gwneud ambell joban garddio ar fin nos neu benwythnos i ŵr busnes llwyddiannus oedd wedi ymddeol i'r ardal o Lerpwl. Pan fyddai hwnnw weithiau'n dychwelyd i Lerpwl ar gyfer cyfarfod o fwrdd cyfarwyddwyr ei gwmni, arferai ofyn i'r cyn-gariad ei yrru yno. Y syniad oedd iddo roi'r argraff bod ganddo *chauffeur*. Byddai'r cyn-gariad yn gwneud hynny ond ar yr amod y cai fenthyg car y gŵr busnes i fynd a'i gariad am *spin* ambell bnawn Sadwrn – a *Mercedes* oedd car y gŵr busnes!

Mae dementia yn effeithio rhai rhannau o'r ymennydd yn unig, gan adael rhannau eraill yn hollol iawn. Dyna un peth y mae'r hanes hwn yn ei ddangos.

Yn ôl cyfaill o seicolegydd, nid oedd gan fy mam deimladau o euogrwydd yn achos fy nhad am fod popeth wedi mynd ymlaen yn iawn tan ei farwolaeth. Fodd bynnag, yn achos y cyn-gariad, roedd yn teimlo'n euog efallai am iddi ei siomi wrth dorri'r dyweddïad ddwywaith, a hefyd am nad oedd wedi cael terfyn boddhaol oherwydd na fedrodd fynd i'w angladd.

Bu'n rhaid i'w fam dreulio peth amser yn yr ysbyty. Dyma Dilwyn i sôn am un o'r achlysuron hynny:

Am nifer o wythnosau ddechrau 2016, roedd Mam yn Ysbyty Rhuthun ond yn dyheu am gael dod adref ataf; ond nid oedd hynny'n bosibl, yn ôl yr ysbyty, hyd nes y byddai pecyn gofal wedi'i drefnu ac yr oedd hynny'n cymryd cryn amser ar y pryd.

Cofiai Dilwyn am ddigwyddiad yn Ysbyty Glan Clwyd y tro hwn, pan welodd hen glyfrwch ei fam yn dod i'r amlwg eto o ganol dryswch y dementia.

Yr oedd angen i Mam gael prawf gallu a digwyddais fod gyda hi pan oedd y meddyg yn gwneud y prawf. Cyfres o gwestiynau oedd gan y meddyg ac un yn gofyn i Mam nodi enw cyntaf y Frenhines. Edrychodd Mam arnaf i – er iddi wybod yr ateb yn iawn, yr oedd yn amlwg na fedrai ei gofio – ond dywedodd y meddyg nad oedd hawl cael cymorth. Yna, yn syth, dyma Mam yn dweud wrtho ei bod hi'n perthyn i genhedlaeth a fagwyd i fod â'r parch uchaf tuag at y teulu brenhinol. Ni fyddai byth yn breuddwydio cyfeirio at ei Mawrhydi wrth ei henw cyntaf ac, o ganlyniad, nid oedd unrhyw angen iddi wybod na chofio'r enw hwnnw. Credais i'r ateb yna fod yn glyfrach, wir, na phe byddai wedi ateb yn syml, 'Elizabeth'! Eto, cofiwn am wahanol rannau'r ymennydd.

Mae Dilwyn yn credu'n gryf y dylid cofio bod unrhyw un sydd â dementia wedi bod yn 'Rhywun' unwaith. Maent yn 'rhywun' o hyd ac i'r diwedd, wrth gwrs, ond efallai wedi peidio â bod yn 'Rhywun' gydag R fawr ar y dechrau, fel pan oeddent mewn swyddi o awdurdod, yn gofalu am eraill, yn sefydlu a rhedeg eu busnesau ac ati.

Peth arall pwysig iawn i Dilwyn yw cofio bob amser, wrth weld person sydd â dementia, y gallai'r person hwnnw fod yn fi neu chi yn y dyfodol. Nid yw dementia'n parchu dysg na safle cymdeithasol na sefyllfa ariannol na dim o'r fath. Mae'n aml yn taro'r mwyaf galluog a hyd yn oed y mwyaf ffit ac iach yn ein plith.

Er hynny, mae Dilwyn yn gredwr mewn chwerthin – weithiau chwerthin yng nghanol y tristwch.

Dywed fod Sarah Elizabeth, er bod ganddi feistrolaeth wych ar y Gymraeg a'r Saesneg, yn tueddu at y diwedd, oherwydd y dementia, i gymysgu ambell air rhwng y naill iaith a'r llall. Dyma enghraifft gan Dilwyn:

Ar un cyfnod, yr oedd ei choesau'n ddrwg iawn a hithau'n poeni ac yn dweud wrthyf nad oedd yn 'sad iawn' ar ei thraed. Un noson, pan ddaeth gofalwraig ddi-Gymraeg heibio a chodi Mam o'i chadair i fynd â hi i ymolchi a gwisgo am ei gwely, dyma'r ofalwraig yn dechrau gollwng gafael arni – a Mam wedyn yn dechrau poeni ei bod yn rhy ansefydlog ar ei thraed. *'Don't let go, please. I'm not very sad you know,'* meddai. *'I know. You're always very cheerful, fair play.'* meddai'r ofalwraig.

Ond er mor bwysig yw chwerthin, dywed Dilwyn fod adegau pan fydd chwerthin yn beth pell iawn, ac mae'n cofio un o brofiadau gwaethaf ei fywyd fel hyn:

Un bore cyrhaeddodd gofalwraig i helpu Mam i ymolchi a gwisgo am y dydd yn ôl yr arfer. Ar y pryd roeddwn yn golchi'r llestri brecwast yn y gegin cyn cychwyn am fy ngwaith. Dyma glywed yr ofalwraig yn cyfarch Mam a holi sut ydoedd. *'Not very good'*, oedd ei hateb. *'Dilwyn tried to strangle me last night.'* Gollyngais y gwpan oedd yn fy llaw i'r dŵr a mynd drwodd i'r ystafell atynt. Yr olygfa fythgofiadwy a welais oedd yr ofalwraig yn edrych ar wddf Mam – yn chwilio am olion fy mysedd, mae'n debyg. Erchyll!

Dywedodd yr ofalwraig wrthyf wedyn nad oedd yn coelio'r stori o gwbl ond y byddai'n rhaid iddi roi adroddiad i mewn neu byddai'n peryglu ei swydd a'i bywoliaeth. Canlyniad hynny oedd neges destun i bob gofalwraig o'r brif swyddfa yn gofyn iddynt fod yn wyliadwrus – er bod sawl un yn cydymdeimlo â mi ac yn dweud wrthyf am beidio â phoeni, gan nad oedd neb yn debygol o goelio'r peth. Hefyd, cefais ymweliad, caredig ddigon, gan reolwraig y gofalwragedd, ond gwyddwn yn ddigon da beth oedd pwrpas hynny…

Wedi meddwl, gwelais yr ateb. Roedd Mam a minnau, y noson flaenorol, wedi gwylio *Midsomer Murders* neu ryw raglen debyg, ar y teledu ac yr oedd golygfa yn honno lle'r oedd gŵr ifanc wedi tagu hen wraig i farwolaeth. Yn sgil gweld hynny, yr oedd Mam, efallai, wedi cael breuddwyd ofnadwy neu wedi cymysgu stori ffug y rhaglen â realiti ein bywyd ni, ac iddi hi, roedd y peth wedi digwydd.

Dyna oedd yn poeni Dilwyn fwyaf – nid beth oedd y gofalwragedd na neb arall yn ei gredu ond bod ei fam ei hun, yn ei meddwl hi, yn credu'r peth, a dyna fo'n meddwl eto:

Ia, ond **Mam** ydi hon.

* * *

7 'Eglwys ddementia-gyfeillgar – ein profiad ni'

Dilys Hughes a'i diweddar ŵr, Hywel

Dilys a Hywel

Magwyd Hywel a minnau ar aelwydydd Cristnogol, ac felly'n naturiol ar ôl priodi a chartrefu yng ngogledd Cymru, aethom ati i ymaelodi yn y capel agosaf yn Nhrefnant ym mis Ionawr 1970 – hanner can mlynedd yn ôl! Yma cawsom gyfle i ymuno ag eglwys addolgar, brysur, weithgar, gymdeithasol a chyfeillgar. Bu Hywel yn flaenor ynddi er 1971 ac yn Ysgrifennydd yr eglwys nes iddo fethu parhau mwyach oherwydd ei salwch. Bu bywyd yr eglwys yn rhan hanfodol o'n bywyd teuluol ni ar hyd y blynyddoedd.

Wrth edrych yn ôl efallai y dylem fod wedi sylweddoli bod rhywbeth o'i le am fod Hywel yn mynd yn anghofus iawn cyn inni dderbyn y diagnosis meddygol yn 2004 gan y clinig cof fod Hywel ag arwyddion cynnar clefyd Alzheimer's.

O'r cychwyn cyntaf, gwnaethom benderfyniad gyda'n gilydd y buasem yn:

- agored parthed y salwch a'i effaith
- rhannu'r sefyllfa gyda phawb wrth i grafangau'r salwch gau am Hywel
- byw ein bywydau mor normal ag yr oedd modd tra oedd hynny'n ymarferol.

Yn ffodus iawn, cawsom ddeng mlynedd o fywyd o ansawdd digonol i'n galluogi i deithio cryn dipyn ac i fwynhau gwarchod ein hwyrion. Yn wir, buom yn byw bywyd eithaf llawn, gan mai'n raddol yr oedd y clefyd yn datblygu, er yn gyson. Ond yna dirywiodd Hywel yn sydyn i fod yn gwbl ddibynnol ar gymorth ymhob elfen o'i fywyd.

Mae'r salwch hwn yn newid bywydau yn ddidrugaredd – nid yn unig i'r dioddefwr ond i'w ofalwr. Mae hefyd yn effeithio ar ei deulu agos a phawb sydd mewn cysylltiad cyson ag ef, megis cyfeillion a'r mudiadau y mae'n eu cefnogi.

Ein prif gyswllt ni oedd aelodau'r eglwys. Bu cynhaliaeth, nerth a chysur fy ffydd Gristnogol yn amhrisiadwy: ni allwn fod wedi ymdopi cystal hebddi. Bu croeso ein cymdeithas o ffrindiau a chyd-addolwyr i Hywel a minnau yn holl weithgareddau'r eglwys yn ein cyfnerthu.

Dyna fu'r eglwys i ni – pobl o'r un gred a gwerthoedd, y gallem ddibynnu arnynt ar yr adegau anoddaf oll, pobl oedd yn ein croesawu, ein derbyn a'n caru fel yr oeddem yn ddiwahân. Byddent yn dangos parch at Hywel gan ei gyfarch yn hwyliog a boneddigaidd. Ni chaent ymateb bob amser ond, er hynny, byddent yn cynnig help llaw gyda'i baned a'i fisged; byddent yn eistedd wrth ei ymyl mewn cyfarfodydd gan ganfod yr emynau iddo, er nad oedd mwyach yn medru eu darllen. Ni fu unrhyw letchwithdod nac embaras hyd yn oed pan fyddai Hywel yn mwmian y dôn yn ystod yr oedfa neu'n cysgu'n drwm drwy'r bregeth.

Bu'r aelodau – cyfoedion agos a theuluoedd â phlant o bob oed – yn cydgerdded gyda ni drwy erchylltra'r afiechyd creulon hwn. Diolchaf iddynt am hynny.

Bu'r gymdeithas hon yn fodel weithredol o Eglwys Dementia-Gyfeillgar. Mae'r un nodweddion i'w gweld a'u teimlo yn naw eglwys ein bro. Mae hynny'n amlwg wrth i ni gyd-addoli a chymdeithasu yn ystod y flwyddyn, a hefyd yn yr Henaduriaeth a'r Gymdeithasfa.

Pobl sy'n creu eglwys, ond mae mynychu adeilad cyfarwydd, hwylus, diogel a chartrefol yn hanfodol i unrhyw un sy'n anabl ac â dementia. Fel y dywedodd fy merch:

> Dydi Dad ddim wedi mynychu unrhyw adeilad arall mor rheolaidd yn ystod yr hanner can mlynedd diwethaf! Mae o mor gartrefol a hapus yma.

Mae lloriau gwastad a chadeiriau esmwyth â breichiau yn gymorth i ddiogelwch, cysur a mwynhad y dioddefwr. Mae byrddau symudol yn creu sefyllfa hwylus, ddiogel ac awyrgylch pleserus i bawb beth bynnag fo'u hanawsterau.

Ni fydd bywyd unrhyw ddioddefwr, gofalwr na theulu sydd â'r salwch dinistriol hwn yn hawdd. Yn sicr bu fy ffydd bersonol ynghyd â chefnogaeth fy eglwys yn fy nghynnal ar y daith anodd hon.

Nid polisi papur yn unig mo hwn ond **eglwys dementia-gyfeillgar** ar waith. Diolchaf am hyn a gobeithiaf y bydd fy mhrofiad i a Hywel yng Nghapel Trefnant yn ysbrydoli eglwysi eraill i weithredu'r un fath gyda theyrngarwch a thosturi.

* * *

8 'Dy law yn fy llaw yn dal yn dynn'

Eric Davies am ei wraig, Wynne

Ganed a magwyd Wynne ym mhentref Gwauncaegurwen yng Nghwm Aman ac Eric yng Nghwmllynfell yng Nghwm Tawe. Aeth y ddau i Ysgol Ramadeg Ystalyfera ac meddai Eric:

> Pan oeddwn yn y chweched dosbarth, fe gwympes dros fy mhen a'm clustiau mewn cariad â Wynne – y ferch benddu, hardd ei golwg a hyfryd ei chymeriad oedd yn chwarae'r ffidil yng ngherddorfa'r ysgol.

Aeth Wynne yn ei blaen i Goleg y Barri cyn mynd yn athrawes yn ysgolion cynradd y Cimla, Cwm-gors, Gwauncaegurwen a Rhyd-y-fro. Astudiodd

Eric economeg ym Mhrifysgol Caerdydd cyn dechrau ar yrfa yn Gyfrifydd Siartredig. Priododd Eric a Wynne yn 1968, gan ymgartrefu yng Ngwauncaegurwen.

Dewisodd Wynne arbenigo fel athrawes plant gydag anghenion arbennig. Derbyniodd glod gwerthfawr iawn gan un o'i chyn-ddisgyblion:

'Wi'n lico Mrs Davies. Do'wn i ddim y *pupil* gore ond ro'dd Mrs Davies yn deall problems fi ga'tre, yn *kind* i fi ac ro'wn i'n hapus achos hi dysgodd fi i darllen a gneud syms.'

Ganed i Eric ac Wynne ddwy ferch, Nia a Sara, ac meddai Eric:

Byddai Wynne yn brysur o fore gwyn tan nos. Fe gymer-odd yr holl gyfrifoldeb nid yn unig am redeg y cartref, am y garddio, ac am y plant, ond hefyd fel *Clerk o' Works* pan adeiladwyd ein tŷ newydd.

Mae Wynne o reddf yn gymeriad hapus a hawddgar ac nid oes ynddi unrhyw affliw o gasineb. Ni fydd byth yn ymddwyn yn anweddus, sydd yn gallu bod yn rhan anffodus o'r clefyd penodol hwn. Mae hi'n iach yn gorfforol.

Ugain mlynedd yn ôl, fe newidiwyd byd Eric pan benderfynodd Wynne ddechrau chwarae golff, sgïo a chefnogi tîm pêl-droed yr Elyrch yn Abertawe. Mae e'n cofio'r cyfnod hwnnw fel un hapus iawn:

Eric a Wynne

Braf oedd ein byd. Yn ein tro, bu'r ddau ohonom yn gapteiniaid Clwb Golff y Garnant. Buom yn hynod weithgar yn yr eglwys, yr ysgol gynradd a'r ysgol uwchradd. Buom hefyd yn cefnogi'r Fenter Iaith leol, y Gymdeithas Cyflogwyr ac Eisteddfod Genedlaethol Cymru. Fe'm henwebwyd yn Drysorydd Llys yr Eisteddfod. Am chwarter canrif, pleser llwyr oedd mynychu'r ŵyl. Tra byddwn i'n cyfrifo'r arian, byddai Wynne yn mwynhau'r cystadlu a chrwydro'r Maes i siopa a chymdeithasu.

Fodd bynnag, daeth bywyd prysur a hapus y ddau i ben yn 2014 pan fu farw mam Wynne a hithau wedi bod yn gofalu amdani'n daer a chariadus iawn ers amser. Yn fuan wedyn, gwaniodd gallu Wynne i resymu. Am flwyddyn awgrymwyd mai sioc marwolaeth ei mam a achosodd y broblem. Meddai Eric:

> Bûm mor brysur yn gweithio fel na sylwais fod Wynne wedi cael ei denu gan sgams a chyngor ar sut i ennill gwobrau diri'. Hefyd, yn ddiarwybod i mi, datblygodd obsesiwn am ddillad. Bu'n prynu mwy a mwy o'r un peth y naill Sadwrn ar ôl y llall. Byddai'n cuddio'r rhain yn ein hystafell wely sbâr. Cefais hyd i bedwar peiriant glanhau a phentyrrau o ddillad drud. Beiais fy hun am dreulio gormod o amser yn y swyddfa. Teimlais gywilydd imi ei gadael i lawr am nad oeddwn wedi sylwi iddi gael y fath drafferthion.
>
> Ar un cyfnod, rhoddodd bwysau sylweddol ymlaen, gan symud o faint 14 mewn dillad i faint 22 mewn byr amser trwy fwyta siocled a thaffi yn ddi-baid. Byddai'n cuddio'r rhain yn y tŷ fel y bydd alcoholig yn cuddio diod. Deallaf erbyn hyn fod y math yma o ymddygiad yn nodweddiadol o effaith y clefyd hwn.

Yn dilyn blwyddyn ddiflas o asesiadau a phrofion niferus, derbyniodd Eric ddiagnosis gan seicogeriatrydd yng Nghaerdydd. Yn fuan iawn gwaethygodd gallu Wynne i resymu. Arweiniodd hynny mewn byr amser at ddifaterwch llwyr a diffyg rheolaeth gorfforol. Erbyn hynny, effeithiodd y clefyd ar ei gallu i siarad.

Flwyddyn yn ddiweddarach, derbyniodd Eric amlinelliad o'r gefnogaeth oedd ar ei chyfer hi ac ar ei gyfer yntau fel gofalwr, sef:

- taliadau uniongyrchol megis Lwfans Gweini (*Attendance Allowance*)
- gweithiwr cymdeithasol penodol
- gofal dydd.

Roedd Eric o'r farn y byddai wedi bod yn fwy effeithiol pe baent â gwybodaeth ynghylch y rhain i gyd ar gael o'r un lle, er mwyn gallu siarad ag un person a chael manylion am bopeth yr un pryd.

> Pan gaeodd canolfan leol y Gymdeithas Alzheimer's, daeth canolfan dydd *Me Myself & I* yn Llansawel (*Briton Ferry*) i'r adwy. Pwrpas y ganolfan elusennol hon yw cynnig cefnogaeth emosiynol, cysur, a chyfleoedd i'r person sydd â dementia gymdeithasu mewn awyrgylch cyfeillgar, braf. Maent hefyd yn darparu cyngor, cefnogaeth a gwybodaeth i'r teulu a chyfeillion.

Bydd y staff a chyfeillion y ganolfan yn trefnu gweithgareddau, sgyrsiau, a gofal un-i-un. Nid oes yn y ganolfan hon deledu na chadeiriau henoed mewn rhes, ond mae ganddynt lolfa hynod o gartrefol. Mae'r lleoliad yn caniatáu cynnig amrywiaeth o weithgareddau, megis arlunio, cerddoriaeth, canu, coginio, bingo, gemau, jig-sos, a phaned o goffi a sgwrs.

Bu'r ganolfan dydd yn hynod werthfawr, ond gorfu iddynt leihau'r niferoedd a allai fynd yno. O ganlyniad, gorfodwyd i'r gofalwyr drefnu slot dyddiol mewn cartref gofal. Ni fu'r drefn yma'n ddelfrydol.

Mae Eric yn ddiolchgar am bob cymorth a seibiant a gaiff, ond mae bod yn ofalwr am bedair awr ar hugain, heb obaith o wellhad i'r claf, yn waith hynod galed ac unig iddo.

> Fel Shirley Valentine, byddaf yn aml yn teimlo fel siarad â'r wal a Siôn y ci. Fel sawl gŵr o'm hoedran i, daeth golchi dillad, glanhau a choginio yn sioc. Aeth Wynne a minnau drwy emosiynau amrywiol wrth ymwneud â'r profiad. Buom yn crio ac yn chwerthin bob yn ail. Fe gollon ni sawl sosban, ffrimpan, cinio a theisen wrth i allu Wynne leihau ac i minnau geisio meistroli clwstwr o sgiliau angenrheidiol.

Erbyn hyn, mae eu dwy ferch yn gweithredu fel cyd-reolwyr y cwmni cyfrifon, ac Wynne wrth ei bodd yn treulio amser yn y swyddfa yng nghwmni ei theulu.

Meddai Eric:

> Buom yn dathlu ein Priodas Aur yn 2018. Buom yn ailadrodd ein hamodau priodasol ac yna cawsom barti gyda'n teulu a'n ffrindiau. Hwn oedd y digwyddiad olaf i Wynne fod yn llwyr ymwybodol ohono.
>
> Aeth blwyddyn neu fwy heibio ers i mi glywed ei llais swynol yn canu emyn cyfarwydd yn yr eglwys a'i ffefryn *'Molly Malone'* yn y ganolfan gofal dydd.

Ar hyd y blynyddoedd, byddai Wynne wrth ei bodd ar ddiwrnod ei phenblwydd ar y trydydd ar hugain o Orffennaf. Eleni, fodd bynnag, pan ganodd Eric, Nia a Sara, a staff y swyddfa ben-blwydd hapus iddi, ni chafwyd unrhyw ymateb o gwbl i'r canu, i'r deisen gwpan nac i'r gannwyll fach. Meddai Eric:

> Agwedd anodd arall i ddelio ag ef yw bod ambell ffrind yn cadw draw heb ein cyfarch, oblegid ni fedrant ymdopi â newid personoliaeth y claf. Ond, er mwyn popeth, peidiwch â chuddio gartref. Wedi i mi ddatblygu croen caled, mae Wynne yn y bygi pan wy'n chwarae golff, yn eistedd yng nghyfarfodydd y swyddfa, yn mwynhau bwrlwm Stadiwm Liberty ac, er yn ddi-ddweud, yn mwynhau cwmni ffrindiau.

Ebe Eric:

> Dydw i ddim yn fardd nac yn llenor ond ar ein mordaith olaf i'r Caribî daeth yr awen imi, ac er syndod lluniais y ddau bennill isod:

Wynne, fy nghariad
Diniwed dy wên, dy lais yn felys
A'th gusan mor ysgafn wrth gyffwrdd fy ngwefus.
Dy law yn fy llaw yn dal yn dynn
Rhag yr ofn a ddengys yn dy olwg syn.
Ac er i mi edrych i'th lygaid du
A dweud wrthyt ganwaith 'Rwy'n dy garu di',
Gwag yw'r ateb er gair am air,
Dy gof wedi ymadael fel tyrfa ffair.

Heb sylw, heb awch, heb awydd am sgwrs,
Mor hawdd yw hwylio i freichiau cwsg.
Rwy'n colli gwefr dy gusan rywiol,
Y cariad diamod a'th ofal mamol;
Ond yn fwy na dim rwy'n colli dy gwmni
O doriad gwawr i ddiwedd dydd.
Rwyt yma ond eto ymhell o'm gafael,
Dy enaid yn dianc ar esmwyth awel.

Medd Eric:

Ceisiaf beidio ag edrych yn ôl a theimlo'n euog a thrist, ond canolbwyntio ar beth sy'n bosibl y funud hon – gydag un llygad ar y dyfodol.

Gofid pob gofalwr yw y daw dirywiad yn iechyd y claf fydd yn y pen draw yn arwain at orfod symud i gartref gofal llawn-amser.

Yn bersonol, gobeithiaf yn fawr y cawn ychydig rhagor o amser eto cyn wynebu'r penderfyniad anochel hwn.

*　*　*

9 'Yn gaeth y tu mewn iddi ei hun'

'Gofalwr' yng Nghymoedd y De a'i fodryb

Meddyliwch am fenyw hynod unig-olyddol ond eto, mewn sawl ffordd yn nodweddiadol o bobl o'r un gen-hedlaeth â hi. Un a hoffai wnïo a phobi a gwneud pethau; un a hoffai bosau ac anturiaethau; un ymroddedig i'w theulu a'i gwlad. Gwasanaethodd yn y Llu Awyr adeg y rhyfel a bu'n gweithio mewn llywodraeth leol yn gymysg â chyfnod fel athrawes. Anelai at ragoriaeth ym mhob agwedd ar ei bywyd, a châi ei chydnabod am ei deallusrwydd a'i disgwyliadau uchel.

Modryb

Roedd hi'n hael, yn gymdeithasgar, yn godwr-arian diwyd, a phob amser yn dangos ysfa i bopeth fod 'dan reolaeth'. Roedd hi'n deithwraig frwd a chyson, yr un mor gyffyrddus yn pigo mefus ag yn cerdded ar draethau yn Hawaii. Byth yn llonydd; ar fynd yn ddi-baid – yn aml yn ddi-gwsg, bob amser yn brysur yn darllen neu'n sgwrsio neu'n siopa.

Bywyd llawn, ond â thrasiedïau ynddo. Colli gŵr yn gymharol ifanc, a nyrsio tri pherson hyd eu marw. Eto'n anaml yn ddigalon a byth i'w gweld yn isel-ysbryd. Grym natur nad oedd neb na dim yn medru ei ddofi ar wahân, weithiau, i'm mam, ei chwaer iau, a'r rhwymau a ffurfiwyd rhyngddynt wrth iddynt gyd-dyfu mewn pentref yng nghymoedd diwydiannol de Cymru yng nghyfnod y Dirwasgiad ac yna wrth fyw yn eithaf agos at ei gilydd ar hyd eu bywyd.

Un felly oedd fy modryb, cyn iddi beidio â bod yn 'hi ei hun'.

Yn ei henaint, a'i phasbortau mor llawn â'i chypyrddau dillad, a'r ardd wedi ei hailgynllunio (y tro hwn mewn arddull Japaneaidd), daeth y canser a newidiodd ei bywyd. Roedd y llawdriniaeth ei hun yn llwyddiant mawr yn gorfforol, ond achosodd y broses, yn enwedig yr anaestheteg, niwed iddi. Dechreuodd y dryswch ar ôl archwiliad ôl-lawdriniaethol yn yr ysbyty. Cawsom ein taflu gan sydynrwydd y newid ynddi ond y gobaith oedd mai newid dros dro ydoedd.

Er mwyn ymadfer, roedd hi wedi dod i aros at fy mam wedi iddi ddychwelyd o'r ysbyty. Buom yn damcaniaethu i ba raddau yr oedd y dryswch yn effaith sioc y driniaeth ynghyd, o bosibl, â gweld eisiau ei chartref, lle a fu'n fodd i'w diffinio er pan gafodd ei geni yno ar ford y gegin. Ac, yn wir, fe wellodd rywfaint pan ddychwelodd adref, gan hyd yn oed lwyddo i gynnal ei hannibyniaeth am gyfnod; ond ni pharhaodd hynny'n hwy na'r pysgod y penderfynodd eu cadw.

Arhosodd ei deallusrwydd, a bu hynny'n fodd i'w helpu i fwrw i'r naill ochr gwestiynau'r meddyg a geisiodd roi'r profion safonol iddi. Pan ofynnwyd iddi a wyddai beth oedd y dyddiad, edrychodd ar ei galendr cyn ateb! Roedd ganddi lawer o dechnegau, ffyrdd o lithro heibio i'r gwirionedd a oedd yn dod yn gynyddol amlwg wrth i'w chof bylu fwyfwy. Ni wyddai beth roedd hi'n ei wylio ar y teledu, meddai, oherwydd bod y rhaglen 'ond newydd ddechrau'. Ond ni fu modd osgoi'r sefyllfa am byth ac yn y diwedd cafodd ei threchu ym mhrif ganolfan asesu leol y GIG, lle cadarnhawyd dementia.

Cynigiwyd sesiynau dyddiol iddi, ond gwrthod a wnâi bob tro. Gwnaed asesiadau, a'r rheini'n cadarnhau y gallai ddod i ben gartref o hyd. Parhaodd hynny am ychydig flynyddoedd eto, ond roedd hynny ond yn bosibl oherwydd ymweliadau rheolaidd gennyf i ac, yn bennaf, trwy gefnogaeth dros y ffôn gan ei chwaer iau ffyddlon (yr un na fyddai braidd byth yn ei chroesi).

Bu farw fy mam yn sydyn ac ar adeg pan oedd fy modryb mewn cyflwr o ddirywiad ysbeidiol ond cyson. Gwnaethom gynnig iddi symud i fyw yn agos atom – cynnig nad oeddem wir yn meddwl y byddai'n ei dderbyn oherwydd pwysigrwydd hen gartref y teulu iddi; ond daethom i ddeall bod ein hargraffiadau o bwysigrwydd y lle hwnnw iddi, fel ei hen fywyd, wedi mynd.

Felly, dyma hi'n symud i gartref newydd yn ein hymyl, gyda chyfuniad o hen bethau cyfarwydd a llawer o bethau newydd. Roedd siopa bob amser wedi bod yn arfer diffiniol (gwariodd ei holl gyflog cyntaf – ynghyd â benthyciad gan ei chwaer ddarbodus – ar bâr o esgidiau!), a chafwyd llawer o brynu gwisgoedd, clustdlysau, mwclis, ac yn y blaen i borthi'r awydd a'r arfer ar ôl iddi symud i'w chartref newydd; ac eto y prynu hwnnw oedd yr un gweithgaredd nad oedd byth yn gallu ei alw i gof.

Dirywiad cyson fu'r hanes wedyn, ond cafwyd eiliadau annisgwyl, ysgytwol hyd yn oed, o adferiad. Daeth y cyntaf a'r mwyaf syfrdanol o'r rhain ar ôl salwch difrifol, yn weddol fuan ar ôl iddi symud. Nid yn unig iddi wella'n gorfforol, ond daeth yr hen 'hi ei hun' yn ôl, ar ôl iddi gael ei chynhyrfu gan 'alwr oer'. Mae diffyg ymatebion emosiynol penodol wedi bod yn rhan o'i dementia ac roedd ei gweld yn ddig am y ffordd y siaradwyd â hi yn sioc; ac yna daeth cyfres o ddatguddiadau yn ystod y 'dychweliad' hwnnw.

Cadarnhaodd ei bod fel pe bai'n 'cerdded yn ei chwsg' y rhan fwyaf o'r amser, yn gaeth y tu mewn iddi ei hun heb unrhyw reolaeth. Ac eto, roedd hi, y tro hwnnw ac mewn 'dychweliadau' diweddarach, fel pe bai'n derbyn ei sefyllfa. Roedd hi 'gyda ni' am bron i dridiau a mwynhaodd bob eiliad. Gallai ryngweithio â'i theulu a gwylio'r teledu'n ystyrlon. Yn lle derbyn ei bwyd yn ei ffordd oddefol arferol, gwnâi sylwadau ynghylch yr hoff bethau a'r cas bethau yn ei diet; a'm hatgof olaf ohoni yn yr amser hwnnw oedd y pleser a gafodd o ddarllen llyfr yn hwyr y nos. 'Wnaeth hi byth ei orffen ac roedd wedi llithro'n ôl i'w 'realiti' cyfarwydd erbyn y bore.

Mae'r amser ers hynny wedi cynnwys ychydig o 'ddychweliadau' pellach, ond maen nhw wedi lleihau ac yn gymysg bellach â llawer o ffug-atgofion a storïau am gael ei herwgipio. Mae'r dyddiau wedi mynd yn hirach gan fod y dirywiad yn golygu bod gwneud croeseiriau wedi hen beidio bellach, a chwileiriau bron wedi mynd yn drech na hi. Neidio o'r naill sianel i'r llall yw'r difyrrwch a gaiff o'r teledu ar y cyfan erbyn hyn, ac ad-drefnu addurniadau yw ei hobi ar hyn o bryd.

Does dim sgwrs go iawn; prin yw'r ansawdd bywyd amlwg. Gwelwn ambell arwydd bach o'r person a gollasom mewn newidiadau cynnil o ran arferion bwyta ac ati. Y prif beth sy'n fy nghadw i fynd, hyd yn oed wrth wynebu'r arfer diweddar a newydd sydd ganddi o weiddi amdanaf, bron mewn ffordd ddefodol, a hynny hyd yn oed pan fyddaf yn yr un ystafell â hi, yw fy mod i'n credu ei bod hi 'yno' o hyd, yn rhywle – hyd yn oed os yw ei 'hatgofion' yn ymdebygu fwyfwy i'r nofelau a'r rhaglenni dirgelwch yr arferai fod mor hoff ohonynt.

* * *

10 'Athro caled yw profiad'

'Gwen Môn' am dri pherson arbennig

Ni chefais y pleser o gyfarfod â Gwen wyneb yn wyneb, ond bûm yn siarad â hi droeon dros y ffôn. Teimlais ei chynhesrwydd a'i hagosatrwydd fel pe bawn wedi ei hadnabod ers blynyddoedd. Llifai ein sgyrsiau'n hawdd – mae'n wrandawraig heb ei hail. Gorffennai bob galwad gyda'r geiriau 'Edrychwch chi ar ôl eich hun.' Mae hi'n deall o brofiad hir ac eang pa mor emosiynol a blinderus yw bod yn ofalwr.

Roedd yn amlwg i mi fod gan Gwen lu o ffrindiau agos ac nid rhyfedd hynny. Byddai'n aml yn prysur wneud sgons ffres i de bach i groesawu un arall o'i ffrindiau draw am sgwrs. Gobeithiaf ei chyfarfod yn fuan, nid yn unig i minnau flasu'r sgons ond i ni gael cyfle ill dwy i roi'r byd yn ei le.

Ni rannodd lawer am ei chefndir, dim ond iddi orffen ei gyrfa yn nyrs arbenigol canser plant ac yn uwch ddarlithydd nyrsio yn Llundain. Bu'n Llywydd yr Henaduriaeth gydag enwad y Presbyteriaid. A dyma'i hanes:

> Wedi gofalu am dri aelod o'm teulu oedd ag Alzheimer's am sawl blwyddyn ar wahanol adegau, derbyniais y gwahoddiad – a'r her – i rannu fy mhrofiad o fod yn ofalwr.
>
> I ddechrau, roedd derbyn y diagnosis Alzheimer's wedi misoedd o ofid a phryder yn siom ar y naill law ac yn rhyddhad ar y llall. Gwyddwn fod rhywbeth o'i le a rhyddhad oedd cael enw i'r salwch. Er hynny, chwalodd hyn ein holl obeithion hirdymor. Rhaid felly oedd mynd ati i newid fy meddylfryd a'm rôl fel merch, gwraig a chymar i gymryd rôl arall gyfarwydd o ran fy ngyrfa - sef gofalwr.

Dywedodd Gwen iddi sylwi drwy ei phrofiad eang fod gan rai teuluoedd deimlad o gywilydd wedi iddynt dderbyn diagnosis fod un o'u hanwyliaid â dementia neu glefyd Alzheimer's, gan fod cymaint o stigma ynghlwm wrth y salwch.

> Efallai fod hyn yn fwy cyffredin rai blynyddoedd yn ôl pan nad oedd teuluoedd yn cydnabod yn gyhoeddus, er enghraifft, fod canser arnynt heb sôn am HIV/Aids. Bellach rydym fel cymdeithas Gymreig wedi symud ymlaen fel bod yr ymdeimlad o gywilydd wedi lleihau ychydig ynglŷn â dementia ac Alzheimer's.

Yn tynnu ar ei phrofiad, nododd ei hofnau, a phob un mor ddwys â'r un nesaf:

- Sut a pha mor gyflym fyddai'r salwch yn dirywio?
- A fyddai modd arafu'r dirywiad o gwbl?
- Pa feddyginiaethau a thriniaethau fyddai ar gael?
- Pa gymorth meddygol a chymdeithasol fyddai wrth law?
- Pa fantais fyddai mewn rhannu'r diagnosis ag eraill?
- Tybed a fyddai'n teuluoedd a'n ffrindiau yn cefnu arnom oherwydd ansicrwydd ynglŷn â sut i ymateb i'r claf?
- At bwy fyddai orau imi droi am gymorth?
- A fyddai gen i'r sgiliau digonol i ofalu am y claf a'i gynnal?
- A fyddai modd parhau i fyw ein bywyd arferol fel y gallem ymddangos yn 'normal'?

Yn ystod ei chyfnodau hir o ofalu, ffurfiodd Gwen fantra bod yn rhaid iddi fel y gofalwr sicrhau *urddas* y claf ar bob cyfrif. Yn fuan, sylweddolodd ei bod yn hanfodol iddi hi fel gofalwr fod mewn cyflwr cryf yn gorfforol a meddyliol i sicrhau hyn. Yna ffurfiodd Gwen egwyddorion sylfaenol megis:

- derbyn cymorth a chefnogaeth allanol
- cadw mewn cyswllt agos â ffrindiau a theulu
- bwyta'n iach
- sicrhau amser i ymlacio.

Yn ogystal â hyn, mae Gwen yn cynnig cyngor pellach:

- Rhaid derbyn bod pob un ohonom – boed iach neu'n glaf – yn bersonoliaeth unigryw.
- Mae anghenion pawb yn wahanol ac yn amrywio o ddydd i ddydd ac weithiau o awr i awr.
- Rhaid mynnu gwrandawiad fel bod pawb yn deall gofynion y claf a'r gofalwr.
- Pan fydd y salwch yn dwysáu a'r anghenion gofal yn trymhau, rhaid estyn allan am gymorth.
- Mae teuluoedd a chyfeillion yn barod i helpu fel arfer; mae'n bwysig derbyn y gefnogaeth.
- Mae adeiladu perthynas gref â'r meddygon teulu, swyddogion cymdeithasol a phob aelod o'r tîm gofal yn gwbl angenrheidiol.
- Fel gofalwyr, rhaid inni sefyll ein tir gan mai ni gan amlaf sydd yn adnabod y claf orau.
- Byddwn ddi-ildio, pa mor anodd bynnag y bo, i fynnu'r gorau i'n claf.
- Pan gaiff y claf unrhyw ofal y tu allan i'r cartref, rhaid cadw rheolaeth ar y sefyllfa.
- Pan fydd ar y claf angen gofal preswyl, rhaid gochel rhag i'r cartref gofal gymryd trosodd pob penderfyniad.
- Gwell cymryd yr awenau parthed pa ymwelwyr fydd yn galw, pryd ac am ba hyd.
- Gall cadw cofnod dyddiol o apwyntiadau, ymwelwyr, ac agweddau positif a negyddol, fod yn dra defnyddiol.

Does gan Gwen ddim ofn cydnabod bod gofalu am gleifion â dementia a chlefyd Alzheimer's yn gymhleth ac weithiau'n hynod o anodd. Mae'n datgan hefyd mai braint ac anrhydedd yw gwneuthur hynny. Mae'n erfyn arnom i sylweddoli mai haws o lawer yw rhoi cymorth na'i dderbyn. Ac meddai:

> Gwnewch yn fawr o'r dyddiau da a thrysorwch funudau tawel, cariadus gyda'ch gilydd.

O'i phrofiad eang, mae'n cydnabod iddi ddysgu llawer o'i 'chamgymeriadau'. Sylweddola fod 'digon da' ambell dro yn gorfod gwneud y tro, er iddi anelu at berffeithrwydd.

> Athro caled yw profiad; mae'n rhoi'r prawf i gychwyn a'r wers i ddilyn.

*   *   *

11 'Gwnewch y pethau bychain'

Gwilym Luke Jones a'i ddiweddar fam, Sarah Ellen Jones

Ganed Sarah Ellen Jones yn Llanrwst Ddydd Gŵyl Ddewi 1923 a bu farw'n naw deg a dwy flwydd oed yn 2015. Priododd Harry Luke Jones a chawsant dri o blant: Gwilym, yr unig fachgen, a dwy ferch iau nag ef. Byddai'r teulu i gyd yn ymwybodol iawn o eiriau Dewi Sant parthed pwysigrwydd 'gwneud y pethau bychain'. Bu'r athroniaeth hon yn sylfaen i'w bywydau.

Ganed eu merch hynaf â

Gwilym a'i fam

70

nam ar ei golwg. Cafodd ei haddysg gynnar mewn ysgol arbennig i'r deillion ym Mhen-y-bont ar Ogwr ac yna mewn ysgol ramadeg i'r deillion yn Chorley Wood, ger Watford. Dychwelodd i Gymru wedi blwyddyn o hyfforddiant pellach yn Llundain. Aeth i weithio fel *audio typist* yn ffatri Hotpoint yn Llandudno, gan fyw gyda'i rhieni.

Dywed Gwilym:

> Oherwydd y sefyllfa deuluol hon, fe dreuliodd Mam ran helaeth o'i hoes yn Weithiwr Cymdeithasol y Deillion yn Sir Clwyd. Roedd ganddi brofiad o fagu plentyn â nam ar y golwg, a gallai rannu'r profiad hwnnw ag eraill. Byddai'n cynorthwyo oedolion a gollodd eu golwg yn hwyrach yn eu bywydau i addasu eu ffordd o fyw ac ailhyfforddi.
>
> Wedi iddi ymddeol, parhaodd i weithio'n ddyfal er lles y deillion drwy sicrhau bod y clybiau a sefydlodd yn parhau a bod cludiant ar gael i'r mynychwyr.
>
> Roedd yn aelod o bwyllgor misolyn newyddion a gyhoeddwyd ar dâp ac yna ar gryno-ddisg. Byddai hi a'm chwaer yn galifantio gryn dipyn. Roedd yn berson cymwynasgar a gofalus iawn o'i theulu a'i ffrindiau.
>
> Roeddwn ar fy ngwyliau ar y Cyfandir pan dderbyniais alwad ffôn annisgwyl gan fy chwaer yn fy hysbysu fod Mam wedi syrthio a thorri ei chlun. Ni allwn wneud dim ond cysylltu'n ddyddiol â'r teulu am fwletin am ei chyflwr. Bu'r cyfnod y bu'n rhaid iddi ei dreulio yn yr ysbyty yn un hir. Pan ddychwelodd adref, fe synnwyd ni gan ei hymateb pan ofynnodd y therapydd galwedigaethol a oedd hi'n ddigon hyderus i wneud paned o de. Heb dorri'r un gair, i ffwrdd â hi'r gegin fel y gwynt a gwneud paned i bump ohonom. Roedd y gallu i 'wneud y pethau bychain' yn dal ganddi.

Nid yw dementia yn gwahaniaethu rhwng pobl, meddai Gwilym, dim ots pa mor dda y buont yn byw eu bywydau, na'u cyfraniad i'w teuluoedd a'u cymdeithas. Fe all dementia effeithio ar fywydau pob un ohonom yn ddisymwth.

> Cofiaf y diwrnod y sylweddolais, ar ymweliad â'm rhieni a'm chwaer, fod rhywbeth mawr o'i le. Rhag tarfu ar eu cinio es â chawl

71

efo fi. Wrth chwilio am sosban i'w gynhesu, deuthum ar draws un o ffrogiau gorau mam wedi ei phlygu yn daclus ar ben y sosbenni. Wythnos yn ddiweddarach tywalltodd mam y te o'r tebot i'r jwg llaeth yn hytrach nag i'r gwpan. Gwylltiodd fy nhad am ei bod wedi gwneud y fath beth gwirion.

Cefais i a'm tad sgwrs hir am y sefyllfa. Cefais wybod bod pethau tebyg wedi bod yn digwydd ers peth amser. Roedd hyn yn anodd iawn i'm tad ei dderbyn. Yn sicr, nid oedd am rannu hyn gyda gweddill y teulu na'u cymdogion. Gwell ganddo oedd ei sgubo dan y carped!

Sylweddolais fod ymddygiad Mam yn cael effaith negyddol ar fy chwaer. Gan fod ganddi nam sylweddol ar ei golwg, roedd yn hanfodol bod 'lle i bopeth a phopeth yn ei le'. Fodd bynnag, gan fod Mam yn symud pethau i lefydd anarferol, roedd bywyd fy chwaer yn anoddach o lawer. Byddai fy nhad yntau ar 'helfa drysor' yn ddyddiol, yn chwilio am wahanol bethau a symudwyd heb eglurhad.

Wedi iddynt rannu hynny'n onest, fe ddechreuodd y teulu ar daith anodd, hir a throellog i geisio atebion a chymorth. Cafodd Sarah Ellen sawl sgan ar ei hymennydd, cyfweliadau ag arbenigwyr, ac ymweliadau â'r clinig cof. Fodd bynnag, roedd y dirywiad yn dod yn amlycach, ac meddai Gwilym:

Erbyn hynny, roedd Mam yn adnabod pob dieithryn fel ffrind o'r gorffennol pell a fu'n gyd-ddisgyblion iddi yn yr ysgol yn Llanrwst.

Un noson fe gafodd 'ddigwyddiad' yn ei chartref. Bu'n rhaid i ni alw am yr ambiwlans a chafodd ei chludo i'r ysbyty. Ni ddychwelodd adref wedi hynny. Wedi cyfnod eithaf hir yn yr ysbyty, pan oedd Mam yn hynod gymdeithasol ac yn crwydro yma a thraw, bu'n rhaid gwneud penderfyniadau anodd am ofal y tu allan i'r cartref i sicrhau ei diogelwch.

O fod yn wraig addfwyn a thawel ei natur, roedd yn graddol droi i fod yn fwy ymosodol, yn eiriol ac yn gorfforol.

Cafwyd sawl cyfarfod gyda'r Gwasanaethau Cymdeithasol ac oherwydd y sefyllfa gartref, daethpwyd i'r casgliad bod arni angen gofal 24/7 mewn cartref gofal. Nid cyfrifoldeb y Gwasanaethau Cymdeithasol oedd dod o hyd i gartref gofal i Sarah Ellen. Fodd bynnag, cyflwynwyd i'r teulu restr o gartrefi yn yr ardal, ac meddai Gwilym:

> Gan mai fi oedd y plentyn hynaf, fe adawyd hynny i mi. Roeddwn yn ffodus fy mod wedi hen arfer darllen adroddiadau archwilio, a dyna fu fy man cychwyn. Darllenais adroddiad Arolygiaeth Gofal Cymru *(Care Inspectorate Wales; CIW*)* ar bob cartref gofal yn yr ardal. Roedd rhai adroddiadau'n ddamniol ac eraill yn ganmoladwy.
>
> Wedi dewis tri, dyma drefnu apwyntiadau. Fe es a'm tad hefo fi gan ei bod yn bwysig ei fod o'n hapus, hynny yw os gall unrhyw un fod yn hapus o weld ei gymar oes yn mynd i gartref gofal am byth.
>
> Roedd y cartref cyntaf yn fawr, a nifer fawr o breswylwyr ynddo. Gwisgai pob un o'r staff wisg wen. Roedd yn debycach i ysbyty na chartref.
>
> Roedd yr ail gartref yn llawer llai ac nid oedd ganddynt iwnifform i'r staff. Roedd y croeso'n dwymgalon ac fe roddodd fy nhad ei sêl bendith; ac yn bwysicach na dim, nid oedd ond hanner milltir o'r cartref teuluol.

Ni fu'r trosglwyddiad i gartref yn hawdd. Cododd Sarah Ellen ei dwrn a bygwth y gyrrwr ambiwlans â'i ffon. Dyna ddelwedd gyntaf staff y cartref ohoni.

> Nid hon oedd y fam ddistaw ac annwyl y bûm yn ei hadnabod am 65 mlynedd. Ond o fewn ychydig oriau, gwnaethpwyd Mam yn gysurus. Roedd yn hoffi ei hystafell ac roedd lluniau cyfarwydd ar y waliau. Aethom ag ychydig o'i phethau personol i'w helpu i setlo – pethau bach syml, gwerth eu cynnwys.
>
> Bu fy nhad yn ymweld â hi bob dydd am dros dair blynedd. Byddai'n cyrraedd ganol bore er mwyn iddynt fwynhau paned gyda'i gilydd yn y lolfa uchaf. Bu Dad yn gymaint rhan o'r cartref ag oedd Mam.

Fel yn yr ysbyty, bu Sarah'n crwydro ddydd a nos. Fodd bynnag, roedd ei theulu'n dawel eu meddwl gan fod system ddiogelwch dda yn y cartref i gadw'r preswylwyr rhag crwydro allan o'r adeilad.

> Un diwrnod aeth Mam ar goll a doedd neb yn gallu dod o hyd iddi! Roedd wedi darganfod grisiau i'r llawr gwaelod a'r fynedfa i'r ardd

gefn. Roedd y cartref yn cadw ieir a dyna lle'r oedd Mam yn bwydo'r ieir. Dyma rywbeth a wnâi bob dydd ar y tyddyn lle'r arferem fyw.

Dro arall cafwyd hi'n cysgu'n drwm ar wely preswylydd arall heb fod nepell o'i stafell ei hun ond ychydig is i lawr y coridor. Roedd pob drws yn edrych yr un fath a'r ymennydd yn methu prosesu unrhyw wahaniaethau.

Byddai Sarah yn gofyn am y plant ar bob ymweliad. Bu'n poeni'n ddirfawr amdanynt gan obeithio eu bod yn iawn. Ond sylweddolodd y teulu nad ei hwyrion a'i hwyresau oedd ganddi mewn golwg, ond ei chwiorydd a'i chyfnitherod, yr arferai eu gwarchod pan oedd yn ifanc. Cafodd syniad bach digon syml effaith gadarnhaol iawn.

Gweithred fach seml arall a gyflwynwyd gan y rheolwraig oedd paentio pob drws mewn lliw gwahanol. Melyn oedd lliw drws Mam, a hi a ddewisodd y lliw gan ei bod yn hoff iawn o felyn. Gwyddai mai ei drws hi oedd yr un melyn ac ni fu ar goll yr unwaith ar ôl hynny.

Cafodd nifer o bethau bach eraill eu cyflwyno yn eu tro, megis sêt toiled coch oedd yn rhoi ffocws arbennig wrth fynd i'r stafell ymolchi. Byddai'n arwain yr ymennydd i wneud cysylltiad â'r weithred angenrheidiol.

Prynwyd tryledwr (*diffuser*) oedd yn tasgu allan arogl lafant a chamri, y cyfan er mwyn tawelu'r corff.

Gweithred seml arall oedd creu albwm lluniau o fywyd Mam â sgript wrth ochr pob llun yn nodi'r achlysur a'r cymeriadau. Roedd hynny'n ffordd i aelodau o'r staff ac ymwelwr geisio ymateb gan Mam. Byddai wrth ei bodd yn ystyried ei gorffennol lle'r oedd hi fwyaf cyfforddus.

Daeth pwysigrwydd yr albwm yn glir fel y dirywiodd iaith Mam, oherwydd creodd iaith hollol newydd. Roedd ganddi stori i'w rhannu ac roedd goslef ei llais, bywiogrwydd ei llygaid, ac ystum ei hwyneb a'i dwylo yn cyfleu hynny er na allem ei deall. I gynnal y sgwrs ymhellach, y cyfan roedd angen inni ei ddweud oedd 'Wyddwn i 'mo hynny' neu 'Pryd oedd hyn?'

Bu'r gwersi drama ymarferol a gefais yn y coleg yn ddefnyddiol iawn, gan mai chwarae rôl fyddwn i yn ystod pob ymweliad.

74

'Gwneud y pethau bychain' hyn fyddai'n dod â gwên i'w hwyneb.

Yn amlwg, bu'r syniadau uchod yn fodd i dawelu Sarah Ellen a'i gwneud yn fwy bodlon. Doedd dim modd troi'r cloc yn ôl, ond o leiaf byddai hi'n gwenu'n siriol hyd y diwedd.

Ar Fawrth y cyntaf, lai na blwyddyn ar ôl colli mam, fe gadwon ni at yr arferiad o fynd allan i ginio i ddathlu ei phen-blwydd a hel atgofion amdani. Wedi dychwelyd i'r tŷ'r diwrnod hwnnw, datgelodd fy nhad fod lwmp wedi ymddangos ar ochr ei wddf yn ystod yr wythnosau blaenorol. Stori arall ydi honno, pan fu 'gwneud y pethau bychain' yr un mor bwysig.

* Yn 2018, newidiwyd enw *'Care and Social Services Inspectorate Wales' (CSSIW) yn 'Care Inspectorate Wales' (CIW)*.

*   *   *

12 'Megis cysgodion'
Jane Dodds a'i diweddar rieni, Eirwyn a Marjorie Dykins

Ganed Jane, plentyn hynaf Eirwyn a Marjorie Dykins, yn Wrecsam yn 1963. Mae hi'n wleidydd sy'n gwasanaethu fel Arweinydd y Democratiaid Rhyddfrydol yng Nghymru er 2017. Fe'i hetholwyd yn Aelod Seneddol dros Frycheiniog a Maesyfed mewn isetholiad yn 2019. Mynychodd Ysgol Morgan Llwyd ac mae'n siarad Cymraeg yn rhugl. Mynychodd Brifysgol Caerdydd cyn hyfforddi'n weithiwr cymdeithasol. Yna gweithiodd i Fyddin yr Iachawdwriaeth yn yr adran Amddiffyn Plant am saith mlynedd ar hugain cyn cael ei hethol i San Steffan yn 2019. Yn ystod y cyfnod hwn, bu'n gweithio gyda nifer o awdurdodau lleol tra hefyd yn arwain Cyngor y Ffoaduriaid. Ar hyn o bryd, mae hi a'i gŵr, Patrick, yn byw yn y Gelli Gandryll.

Ganed ei tad, Eirwyn Dykins, yn 1922 i aelwyd Gymraeg. Fodd bynnag, collodd yr iaith pan ymunodd â'r Llu Awyr Brenhinol a chael ei anfon i'r India a Burma yn ddwy ar bymtheg mlwydd oed. Arhosodd dramor am bum mlynedd cyn dychwelyd i yrfa o 42 o flynyddoedd gyda'r Gwasanaeth Sifil.

Jane a'i thad a mam

Ganed ei mam, Marjorie, hithau i gartref Cymraeg yn Acrefair yn 1928. Fe'i hyfforddwyd mewn biocemeg ac yna gweithiodd fel gwyddonydd i Gwmni Americanaidd Monsanto. Enillodd Marjorie ysgoloriaeth dair blynedd i astudio am radd meistr ym Mhrifysgol Ruthers, New Jersey, Unol Daleithiau'r Amerig.

Priododd hi ag Eirwyn yn 1962 wedi iddi ddychwelyd i Wrecsam. Cyfarfu'r ddau am y tro cyntaf drwy ffrindiau ychydig cyn iddi adael i fynd i UDA. Ganwyd iddynt dri o blant, Jane, Rob a Nora.

Bu Marjorie yn hynod weithgar yn ei chymuned leol, yn enwedig yn y capel. Gweithiodd hefyd yn ddiflino i gefnogi grwpiau chwarae cyn-ysgol i blant ifainc o gartrefi difreintiedig. Yna fe'i penodwyd yn brif weithredwr y mudiad yn genedlaethol. Bu'n angerddol yn ei chefnogaeth i wirfoddolwyr a'r sefydliadau sy'n eu cefnogi. Hi oedd sylfaenydd Cymdeithas Sefydliadau Gwirfoddol Wrecsam. Yn 1997, derbyniodd OBE am ei gwasanaeth clodwiw i'r sector gwirfoddol. Mae cofeb iddi yn y dref sy'n cydnabod ei chyfraniad a'i hymroddiad i bobl ddifreintiedig y cylch.

Dywedodd ei merch, Jane:

Tua phymtheg mlynedd yn ôl, roedd dementia yn ymddangos fel petai'n glefyd ymhell bell o gyrraedd ein teulu bach ni. Nid oedd yn effeithio arnom ni mewn unrhyw ffordd bryd hynny. Ychydig a wyddem am ddementia a phrin oedd yr ymwybyddiaeth a'r gydnabyddiaeth ohono yn ein hardal. Yna, yn sydyn, fe'n lloriwyd gan ei effeithiau ar ein rhieni.

Soniodd Jane am ddirywiad ei thad fel hyn:

Yr arwydd cyntaf fod fy nhad yn disgyn i ddementia oedd iddo ddechrau anghofio a chymysgu geiriau. Cofiaf iddo, ar ei ben-blwydd yn 85 oed, edrych ar ei gacen siâp seren bumochr a datgan 'O, am *pentagon* hyfryd!' Cyfeiriai at y teledu fel 'pen carw hudol', o bosibl oherwydd yr erial. Cyfeiriodd at gar modur fel *carbuncle*. Er y byddem yn gwneud hwyl am hyn, roeddem wir yn poeni fod rhywbeth difrifol o'i le.

Roedd atgofion tymor-hir fy nhad yn eglur iawn. Fodd bynnag, dechreuodd anghofio enwau a digwyddiadau diweddar a chael trafferth â'i hunanofal. Ar y dechrau, penderfynodd fy mam y gallai ofalu amdano ar ei phen ei hun. Gwrthododd bob cynnig o gymorth. Fodd bynnag, syrthiodd Dad deirgwaith yn olynol a doedd ganddo ddim math o syniad ynglŷn â sut i godi oddi ar y llawr. Bryd hynny, bu'n rhaid iddi alw ar fy nghefnder i frysio i'r tŷ i'w helpu.

Yn ystod y tair blynedd a arweiniodd at farwolaeth fy nhad, llwyddasom i reoli ei ymddygiad. Roedd yn ddyn tawel didrafferth, ond tueddai i grwydro. Felly, bu'n rhaid inni gloi'r drysau i'w gadw'n ddiogel. Unwaith, pan oedden ni wedi anghofio gwneud hynny, dihangodd allan heb i ni sylwi. Neidiodd pob un ohonom i'n ceir. Fi gafodd hyd iddo yn ei throedio hi i fyny'r allt ar garlam. 'Ble 'ti'n mynd, Dad?' gofynnais. 'O, dim ond allan,' meddai.

Rhannodd Jane ffenomenon arall a wynebai'r teulu yn ystod y cyfnod anodd hwn, sef unigrwydd Marjorie fel gofalwraig Eirwyn. Yn ôl pob tebyg, cadwodd eu ffrindiau a'u cymdogion draw, er y byddai eu cartref cyn hynny mor brysur â gorsaf Euston. Ychydig iawn o gynigion a gafodd Marjorie gan bobl a allai fod wedi eistedd am ychydig gydag Eirwyn er mwyn iddi hi gael seibiant bach. Ychydig, hefyd, fu'n holi am ei thad a chrybwyll ei salwch a'i gyflwr. Synnai fod y fath stigma ynghlwm â'r clefyd enbyd hwn.

Aeth Jane ymlaen i ddweud:

Rhoddwyd cyffur *Aricept* iddo am chwe mis. Roedd yn ymddangos fel pe bai'r cyffur hwnnw'n wyrthiol, oherwydd cawsom Dad yn ei ôl am gyfnod byr. Fodd bynnag, doedd dim modd atal ei ddirywiad. Bu farw fy nhad dair blynedd yn ddiweddarach yn 2010. Bu'n farwolaeth erchyll a phoenus, efo ni'r teulu yn cysgu yn yr ysbyty am dri diwrnod. Rwy'n crybwyll hyn oherwydd fe'n hysbyswyd gan y staff – a oedd yn hynod ofalgar – y byddai'n marw'n dawel yn ei gwsg. Fodd bynnag, roedd ei farwolaeth yn bell o fod yn heddychlon a thawel. Roeddwn gyda fy nhad pan anadlodd ei anadl olaf. Nid anghofiaf hynny byth.

Yna disgrifiodd Jane ddirywiad ei mam:

Dair blynedd yn ddiweddarach, yn 2013, cydiodd y salwch erchyll yn fy mam. Yn sydyn, dechreuodd hithau fynd yn anghofus, er mor glir oedd ei chof cyn hynny. Rwy'n sicr – er nad oes gennyf unrhyw dystiolaeth wyddonol o hyn – fod trawma wedi chwarae rhan enfawr yn ei dirywiad sydyn. Collodd ei gŵr annwyl ar ôl hanner can mlynedd o fywyd priodasol ac roedd hi'n boenus o unig.

Symudodd o Gymru ac yna'n ôl yma o fewn tri mis. Yna, treuliodd bedwar mis mewn ysbyty i gael llawdriniaeth ar ei chlun. Dair wythnos yn ddiweddarach roedd yn ôl yno wedi torri ei chlun arall.

Dirywiodd yn sydyn dros ddeunaw mis. Bu'n dorcalonnus i ni fel teulu dystio i'r newid dramatig ynddi – o fod yn fam gref, ddeallus i fod yn gysgod ohoni hi ei hun.

Yn 2015, bum mlynedd ar ôl i fy nhad farw, bu farw fy mam. Erbyn hynny, roedd parodrwydd y gymdeithas i drafod dementia yn ymddangos ychydig yn amlycach. Roeddem yn ymwybodol, hefyd, fod yna gydnabyddiaeth o effaith y salwch ar deuluoedd y claf.

Bu farw fy mam yn 86 mlwydd oed a 'nhad yn 88 oed. Cafodd y ddau fywyd hir ac iach nes i effeithiau dementia eu rhwygo. Rydym ni, ill tri, yn gwerthfawrogi ein rhieni a'u dylanwad arnom yn fawr. Diolchwn hefyd am gryfder eu ffydd yn yr Iesu Grist byw.

Mae Jane yn gwerthfawrogi rhai datblygiadau positif megis bod:

- ychydig llai o stigma ynghlwm â dementia erbyn hyn, oherwydd bod dioddefwyr a gofalwyr yn barotach i rannu eu profiadau
- eglwysi a threfi dementia-gyfeillgar yn helpu i oresgyn stigma, embaras ac unigrwydd
- Cymdeithas Alzheimer's Cymru yn gweithio'n ddiflino i ymchwilio i natur ac effeithiau dementia, i godi ein hymwybyddiaeth o'r clefyd ac i gefnogi unigolion trwy gysylltiadau a llyfrynnau gwerthfawr.

Er hynny, cred Jane fod angen:

- gwella dealltwriaeth ein cymunedau o natur ac effeithiau'r clefyd
- addysgu'r to ifanc am y salwch er mwyn iddynt fedru adnabod y dangosyddion yn fuan.

Mae Jane yn cloi gyda datganiad politicaidd cryf, sef bod angen gwell cydnabyddiaeth ariannol am waith a chyfraniad staff iechyd a gofal. Dyma'r rhai sydd ar y rheng flaen ac sy'n deall yr holl boen a'r ing sy'n gysylltiedig â'r clefyd hwn. Nhw sy'n dangos y fath ymgeledd, ac sy'n lleddfu poen y dioddefwyr a'u teuluoedd.

* * *

13 'Gêm Cofio'
Rhian Roberts a'i thad, y diweddar Jack Roberts

Ganed Rhian yng Nghaernarfon. Cyfarfu â Cefin wrth grwydro eisteddfodau lleol a chenedlaethol. Byddent yn cael gwersi canu gan yr un hyfforddwr. Yn ddiweddarach, daeth y ddau yn aelodau o gôr yr hen Sir Gaernarfon dan arweiniad y diweddar Haydn Davies. Wrth gystadlu yn erbyn ei gilydd yn ystod eu harddegau, daethant hefyd yn

Rhian a'i thad

ddeuawd lwyddiannus, a dyna pryd y blodeuodd y bartneriaeth. Aeth y ddau ymlaen i astudio Cymraeg a Cherddoriaeth yng Ngholeg y Drindod, Caerfyrddin. Maent yn briod a chanddynt ddau o blant, sef Tirion a Mirain Haf, ac un ŵyr, Jac Wedi cyfnod yn gweithio gyda Chwmni Theatr Cymru, yn cyflwyno, dysgu a hyfforddi, sefydlodd y ddau'r grŵp poblogaidd 'Hapnod' yn y 1980au cynnar. Fe weithiodd y ddau fel actorion ac athrawon tan ddiwedd yr wythdegau ond roeddent yn dal i goleddu'r freuddwyd o agor eu hysgol berfformio eu hunain. Gwireddwyd eu breuddwyd pan agorwyd Ysgol Glanaethwy yn 1990.

Ganed tad Rhian, Jack Roberts ('Taid Jack'), yn 1918 yn Gwylfa, Ffordd Llanberis, Caernarfon. Bu fyw yn ei annwyl dre Caernarfon ('C'narfon') hyd ddiwedd ei ddyddiau. Yr unig gyfnod iddo adael ei dref enedigol oedd yn ystod yr Ail Ryfel Byd pan dreuliodd beth o'r cyfnod hwnnw yn gwasanaethu yn y Corfflu Meddygol Brenhinol. Ni fu'n ymladd mewn unrhyw frwydr yn ystod y rhyfel, ond fe welodd erchyllra y ceisiodd ei roi yng nghefn ei gof am weddill ei fywyd. Fel rhan o'i waith, aeth i mewn i Belsen i ymgeleddu'r rheini a lwyddodd i oroesi'r hunllef ac i gladdu'r trueiniaid a gollodd y frwydr. Fel pob un arall a dystiodd i'r fath alanas, 'ddaru o ddim anghofio'r hunllef a welsai. Yn ôl Rhian, ddaru o erioed grybwyll yr un gair am y profiad chwaith. Gweithiodd fel drygist yn y dre am sbel ac yna yn Ffatri Peblig tan ei ymddeoliad yn y 1990au.

Meddai Rhian:

> Fel 'Jack Doctor' yr adwaenid ef yn G'narfon hyd y diwedd. Dywedodd sawl un wrtha' i fod yn well ganddyn nhw fynd i weld fy nhad na'r doctor ei hun wrth ymweld â'r feddygfa. Ymfalchïai Jack yn llwyddiannau ei dair merch, Marian, Delyth a finna, gan ein dilyn yn selog o 'steddfod i 'steddfod ac o wersi piano i wersi canu a dawnsio heb rwgnach yr unwaith.
>
> Fel nifer o'r rheini oedd wedi byw drwy erchyllra'r rhyfel, fe ganolbwyntiodd ar weld y genhedlaeth nesaf yn cael byw mewn heddwch a derbyn gwell addysg a chyfleoedd nag a gawsai ei genhedlaeth o.
>
> Priododd â'm mam, Iris Roberts, ym 1950 ac roedd ei gariad tuag ati hi a'i deulu yn ddiamod hyd y diwedd.

Hoff gêm gardiau Jack oedd 'Gêm Cofio'.

Gosod pob cerdyn yn y pac wyneb i waered a phawb yn ei dro yn codi un ac yna'n ceisio dyfalu lle'r oedd cerdyn arall o'r un rhif yn y pac. Os nad oeddech chi wedi llwyddo i greu pâr wedi ichi godi'r ail gerdyn, roedd angen ei osod yn ôl yn yr un lle wyneb i waered eto – ac felly 'mlaen. Y nod oedd cofio ble'n union roedd pob cerdyn wrth iddynt ddiflannu'n ôl i'r pac a cheisio casglu'r nifer uchaf o barau o'r un rhif. Bu 'Nhad yn chwarae'r un gêm hefo'i wyrion flynyddoedd yn ddiweddarach. Doedd y gêm ddim cweit yr un peth os na fyddech chi'n ei chwarae efo 'Taid Jack'.

Pan ddechreuodd Jack fynd yn ffwndrus a chael trafferth i gofio enwau ac wynebau, doedd y teulu fawr o feddwl y byddai'r ffwndro hwnnw'n dwysáu mor gyflym ag y gwnaeth.

Ond er iddo gael diagnosis o glefyd Alzheimer's pan oedd yn ei saithdegau hwyr, 'chollodd o 'mo'i adnabyddiaeth ar ei deulu agosaf hyd y diwedd. 'Chollodd o 'mo'i wên ddireidus chwaith – diolch i'r drefn!

Roedd fy nhad yn hoff iawn o chwerthin. Unwaith y byddem ni'n dau wedi dechrau cael pwl go ddrwg o weld yr ochr ddigri i unrhyw sefyllfa, boed hynny mewn eisteddfod, cymanfa, oedfa neu yn unrhyw le arall lle nad oedd chwerthin yn dderbyniol, fe âi'n ddrwg arnom ar brydiau. Methu dal ambell bwl yn ei ôl a 'Nhad yn troi'n biws yn ceisio atal llifddorau'r chwerthiniad rhag ffrwydro.

Ond fel pawb sydd â'u hanwyliaid wedi byw gydag unrhyw fath o ddementia, mae'n rhaid dysgu gollwng gafael yn raddol ar y person yr oeddech yn ei adnabod a'i garu. Mae'r berthynas rhyngoch, yn anorfod, yn newid a rhaid addasu i'r hwyliau a'r sefyllfaoedd dieithr fydd yn codi o ddydd i ddydd. Yn wahanol i bob cyflwr arall, mae rhyw ddarn bychan yn mynd ar goll fesul diwrnod; rhyw haenen o niwl yn cymylu'r berthynas a dryswch weithiau'n troi'n rhwystredigaeth. Dygymod ac addasu i'r newidiadau bychain hyn yw'r her aruthrol wrth i'r amser dreiglo.

Er i'r teulu sylwi fod Jack wedi dechrau mynd yn anghofus ers sbel, roedd un diwrnod arbennig lle y gwawriodd arnyn nhw fod yr anghofrwydd yn gwaethygu.

Roedd fy nhad yn hoff iawn o chwarae tennis, ac fe ddaeth o a Mam draw i wylio Wimbledon un pnawn a chael mefus a hufen wrth wylio un o'r gemau ar y teledu. Gofynnodd i Cefin a finna a oeddan ni wedi bod am gêm o denis eleni. Ninnau'n deud wrtho nad oeddan ni wedi cael cyfle eto, ond tybed a oedd o ag awydd mynd am gêm dros y penwythnos. O fewn dim, roedd Mam wedi 'laru ar Wimbledon ac fe aethom ein dwy â'n mefus a hufen allan i'r ardd. Ychydig funudau wedyn, fe ofynnodd 'Nhad unwaith eto i Cefin a oeddan ni wedi 'bod am gêm o dennis eleni?' Ar ôl ennyd o ddyfalu sut orau i ymateb, penderfynodd Cefin beidio â deud wrtho ei fod eisoes wedi gofyn y cwestiwn, ac fe'i hatebodd unwaith eto yn union fel y tro cyntaf. Wedi sbel yn yr haul, fe ddois i mewn o'r ardd i gynnig paned i bawb pan ofynnodd yr un cwestiwn yn union am y trydydd tro. A dyna pryd y dechreusom ystyried o ddifri fod angen cymorth arno.

Fy mam oedd prif ofalwr fy nhad am flynyddoedd, a dyna pryd y sylweddolais innau fod ar bob gofalwr angen rhywun i ofalu amdanynt hwythau hefyd – boed hynny'n ymweld, gwarchod, siopa, cwmni neu fod y pen arall i'r ffôn. Mae bod yn gefn i ofalwyr yn rhan y gall teulu agosaf a ffrindiau ei chwarae o'r dechrau. Mae ar bob gofalwr angen tîm y tu cefn iddo/iddi.

Er cymaint y straen a'r tristwch o dystio i'w ddirywiad, roedd lle i weld yr ochr ysgafn ambell waith hefyd.

Crwydrai fy nhad yn ddiamcan weithiau a hynny ar brydiau yng nghanol y glaw, heb bwt o gôt amdano. Byddai Mam yn deud y drefn pan ddychwelai, gan boeni beth fyddai pobl yn ei feddwl a ddaeth dros ei phen 'yn gadael i Jack druan fynd allan heb gôt mewn tywydd mawr.'

Fe'i daliodd un bore yn cychwyn allan i'r ddrycin a mynnodd ei fod yn mynd i nôl rhywbeth cynhesach i'w wisgo. Aeth yn dipyn o ddadl a Mam a gafodd ei ffordd ei hun. Trampiodd fy nhad i fyny'r grisiau ac roedd yn beth diarth iawn i mi weld dyn a fuasai mor dyner ar hyd ei oes yn colli ei limpyn. Pan ddaeth yn ei ôl, roedd Mam yn difaru ei henaid iddi fynnu cael ei ffordd. Roedd 'Nhad wedi gwisgo siwmper 'Dolig fy mam a oedd yn un clwstwr o sêr yn disgleirio drosti. Roedd hi hefyd yn llawer rhy fach iddo a'r llewys bron at ei benelin!

'Hapus rŵan?' meddai, gan gamu dros y rhiniog i'r glaw.

Chwerthin ddaru Mam a finna pan wawriodd arna' i nad oedd modd cael y llaw uchaf arno bellach. Ond er gwaetha'r cariad, ymroddiad a chefnogaeth, fe ddaeth y diwrnod pan sylweddolodd Mam na allai ymdopi rhagor. Mae byw yn eu cynefin yn rhan bwysig o fywyd y sawl sy'n byw efo dementia, a chreu patrwm i ddiwrnod a gweithgaredd yn rhoi hyder iddynt. Ond pan ddaeth hyd yn oed ei gynefin yn ddieithr iddo, mynd i gartref a chael gofal proffesiynol oedd ein hunig ddewis yn y diwedd.

Doedd hynny ddim yn ddewis hawdd i'r un o'r teulu, a buont yn pendilio rhwng difaru a'u cysuro ein hunain ei fod yn cael y gofal gorau yn y lle y byddai am weddill ei fywyd.

Chafodd o ddim y gorau bob amser, ond dyw safon gofal ddim bob amser yn dibynnu ar faint o arian sydd gennych chi i dalu amdano. Mae'n dibynnu hefyd ar y gofalwyr a'r nyrsys sydd yno'n tendio ar y pryd. 'Chafodd fy nhad ddim o'r sylw y byddem wedi hoffi iddo'i gael ar adegau, ond fe gafodd ambell angel yn ei warchod wrth ochr ei wely ar brydiau hefyd – diolch amdanynt.

Ond yr hyn sydd wedi chwarae ar fy meddwl i byth ers colli fy nhad ydi faint yn union oedd o'n ei gofio go iawn? Ai wedi eu troi wyneb i waered oedd cardiau'r cof ynteu a oeddan nhw wedi chwalu'n llwyr?

'Ga i ddŵad adra efo chdi?' gofynnodd imi unwaith a'i lygaid yn llawn taerineb. Hyd yn oed os na wyddai lle'r oedd ei gartref erbyn hynny, fe wyddai'n iawn nad yn y fan lle'r oedd o oedd ei gartref. Dw i'n cael fy rhwygo wrth gofio am hynny'n rheolaidd.

Rhyw ddeng mlynedd yn ddiweddarach, daeth Rhian yn ofalwraig ar ei mam.

Dechreuodd Mam hithau weld y cynefin yn troi'n ddieithr a phatrwm ei diwrnod yn mynd o chwith – ond stori arall yw honno.

* * *

Rhan 2

RHESTR ARBENIGWYR

1 Glain Wynne Jones   Asesydd Anghenion Gofalwyr,
Sir Ddinbych / NEWCIS

2 Mari Lloyd Williams   Gofal Dydd y Waen

3 Leah Sznech   Perchennog Parlwr Harddwch IVORY,
Wrecsam

4 Prydwen Elfed-Owens   Perthynas un o breswylwyr cartref gofal
yn Llanelwy

5 E. Dilwyn Jones   Cyfreithiwr, Dinbych

6 Dr Tariq Obeid   Arbenigwr seicogeriatrig, Caer

7 Kathy Barnham   Cyfarwyddwriag *Book of You*

8 Gwion Hallam   Bardd Coronog, Eisteddfod Genedlaethol
Ynys Môn, 2017

9 Catrin Hedd Jones   Darlithydd mewn Astudiaethau Dementia
Prifysgol Bangor

10 Ken Hughes   Cynhyrchydd Drama Geni 'Hen Blant Bach'

11 Cheryl Williams   Hyfforddwr, Cymdeithas Alzheimer's
Cymru

CYFLWYNIADAU'R ARBENIGWYR

O gael y cyngor gorau, deallaf
Dywyllwch ei ddyddiau,
O ryw ddoe ceisiaf ryddhau
I anwylyn ryw olau.

Ieuan Wyn

1 'Anfonwyd angel'

Glain Wynne Jones, Asesydd Anghenion Gofal i NEWCIS*

Yn ddiddorol iawn, pan ddeuthum i adnabod Glain gyntaf, teitl ei swydd oedd Pencampwr Gofalwyr *(Carers' Champion)*. Er i'r teitl newid, gwell gennyf ei theitl gwreiddiol. Dywedaf hynny, oherwydd i mi, dyna'n union oedd hi yn ystod cyfnod hynod anodd yn fy mywyd. Pe bai'n rhaid i mi ddewis teitl arall iddi, rwy'n sicr mai 'Angel Gofalwyr' a ddewiswn.

Ganed Glain yn ardal Llansannan ac mae'n rhugl yn y Gymraeg. Bu'n cefnogi gofalwyr Siroedd Conwy a Dinbych am dros ugain mlynedd ac mae o'r farn ei bod yn anrhydedd

Glain Wynne Jones

iddi wneuthur hynny. Dywed fod ei phrofiadau personol o ofalu am ei theulu wedi bod yn gymorth iddi uniaethu â'r gofalwyr a deall y rhwystredigaethau y maent yn eu hwynebu'n ddyddiol.

Mae Glain yn gweithio fel Asesydd Anghenion Gofalwyr i NEWCIS (Gwasanaeth Cefnogi Gofalwyr yng Ngogledd-Ddwyrain Cymru), ac yn cwblhau asesiadau anghenion ar ran Cyngor Sir Ddinbych. Mae hi a'i chyd-weithwyr yn cefnogi gofalwyr di-dâl yn y gymuned. Y rhain yw'r unigolion sy'n gofalu'n wirfoddol am aelod o deulu, ffrind neu gymydog.

Gan fy mod yn gofalu am fy ngŵr ar fy mhen fy hun, heb deulu a heb unrhyw fath o gymorth, mae'n rhaid i mi gyfaddef, nad oeddwn wedi sylweddoli bod y cyfrifoldeb yn pwyso cymaint arnaf. Gweithredu un dydd ar y tro oeddwn i, heb ymwybyddiaeth, heb wybodaeth a heb ddealltwriaeth o sut i ofalu amdano tra oedd ei gyflwr yn prysur ddirywio. Wrth imi ymdrin â staff y gwasanaethau cymdeithasol lleol 'anfonwyd angel' ataf. Glain oedd honno ac fe newidiodd fy mywyd yn y fan a'r lle.

Cyflawnodd asesiad anffurfiol wrth sgwrsio â mi a'm gŵr am ein sefyllfa. Cofnododd fy ngofynion a'm pryderon yn ogystal â gwerthuso fy anghenion corfforol, meddyliol ac emosiynol. Bu llawer o ddagrau. Canolbwyntiodd ar fy ngallu i barhau i ofalu, a thrafod a oeddwn yn barod i barhau i wneud hynny. Wrth sgwrsio, buan iawn y sylweddolais mai fy angel i oedd Glain, tra oeddwn i yn angel i'm gŵr.

Tra oeddwn i'n canolbwyntio ar fy ngŵr, byddai hi'n canolbwyntio arnaf fi. Roedd gwybod bod yna rywun yn cydnabod fy sefyllfa ac yn derbyn a deall anawsterau fy mywyd ar y pryd, yn rhyddhad enfawr. Pwy fase'n meddwl y buasai awr yn y lolfa yn y tŷ yn gwneud cymaint o wahaniaeth imi? Lle bu fy sylfaen yn gwegian, roedd yn awr yn gadarn wrth imi sylweddoli nad oeddwn ar fy mhen fy hunan mwyach.

Cyfeiriodd Glain fi at:

- Gofal Dydd Capel y Waen i'm gŵr a minnau gael seibiant a mwynhad gyda'n gilydd allan o'r tŷ.
- NEWCIS – i ymaelodi â nhw i gael mynediad i'w gwasanaethau cefnogi gofalwyr.

Derbyniais gan Glain, hefyd, gefnogaeth unigol:

- clust a phaned 24/7
- therapi siarad er mwyn rhoi pethau mewn persbectif
- mynediad i'r Gwasanaethau Cymdeithasol lleol: gweithiwr cymdeithasol penodol

• *One Stop Shop*: cyngor neu gyfeiriad ar bopeth i leihau amser a biwrocratiaeth.

Meddai Glain:

> Mae nifer fawr o'r oedolion o dan f'adain i yn gofalu am anwyliaid sy'n byw gyda dementia. Mae hynny'n dipyn o her iddyn nhw, gan ei fod yn salwch cymhleth heb ffiniau rhesymol ac felly'n anodd ei ddeall a'i drin.
>
> Deallaf o brofiad pa mor bwysig yw hi i ofalwyr gael eu cefnogi a'u cyfeirio at asiantaethau statudol a gwasanaethau'r trydydd sector mor fuan ag y bo modd.
>
> Fel yn fy ngwaith, fy niléit yw treulio fy amser hamdden ymysg pobl. Mae cwmni fy nheulu, fy ffrindiau annwyl a'm cymdogion gofalus yn bwysig iawn imi. Byddaf wrth fy modd hefyd yn derbyn mwythau gan ein ci bach Wee-Chon, Tecwyn.

Dyma asesiad Glain am 'Siân', sy'n gofalu am ei mam, 'Vera', a gafodd ddiagnosis o ddementia. (Newidiwyd yr enwau fel mater o gyfrinachedd.)

> Bu 'Siân' yn gofalu am ei mam ers dwy flynedd. Yn ystod y misoedd diwethaf dirywiodd ei chof. Y peth pwysicaf i 'Siân' yw bod ei mam yn ddiogel yn ei chartref a'i bod hithau'n cael ysbaid o'i rôl o ofalu amdani. Bydd 'Siân' yn ymweld â 'Vera' yn ddyddiol. Bydd yn paratoi prydau bwyd, glanhau, gwneud y golchi a delio â materion ariannol ei mam.
>
> Ar hyn o bryd, mae 'Vera' yn cysgu'n dda ac yn ddiogel yn ei chartref dros nos. Rhoddodd y gwasanaethau cymdeithasol **pendant llinell gofal** iddi ei wasgu mewn argyfwng. Rhoesant hefyd synwyryddion ar y drysau i hysbysu ei merch pe bai 'Vera' yn mentro allan o'r tŷ gyda'r nos.
>
> Ceir **Lwfans Gweini** i bensiynwyr sydd ag angen cymorth gofal (beth bynnag yw eu sefyllfa ariannol). 'Siân' sy'n derbyn y lwfans. Defnyddir yr arian i dalu am arddwr, prydau ar glud, a gofalwraig i gynorthwyo ei mam i gael cawod. Mae hyn wedi rhyddhau 'Siân' o rai o'i dyletswyddau, sy'n ei galluogi i dreulio rhagor o amser gyda'i mam. Rhoddodd hyn gyfle i'r ddwy fynd allan i siopa, i ymweld â

theulu a mwynhau eu perthynas agos. Wrth dderbyn y lwfans gweini, medrodd 'Siân' roi'r gorau i'w gwaith i ofalu am 'Vera'. Dyma reswm dilys dros geisio **Lwfans Gweini**.

Cyfaddefodd 'Siân' iddi fod dan straen, a'r cyfrifoldeb o wneud pob penderfyniad yn fwrn arni. Cynigiwyd iddi ymuno ag amrywiaeth o glybiau a chyfarfodydd gwahanol elusennau ac asiantaethau, sy'n rhoi cyfle i ofalwyr rannu eu profiadau a'u pryderon. Mae 'Siân' yn frwdfrydig i ymuno â'r grwpiau ond yn methu gadael ei mam am amser hir. Cynigir **gwasanaeth eistedd** gan Wasanaethau Cymdeithasol Sir Ddinbych. Gwasanaeth yw hwn sy'n trefnu bod gofalwr yn eistedd gyda 'Vera' am ychydig oriau'r wythnos yn rhad ac am ddim. Neu gall 'Siân' dderbyn y taliad yn uniongyrchol i dalu i unrhyw un o'i dewis.

Cyfaddefodd 'Siân' iddi gael ei hynysu oddi wrth ei ffrindiau oherwydd ei rôl gofalu. Erbyn hyn, gyda chefnogaeth y gwasanaethau cymdeithasol, mae hi wedi ailgydio mewn **gweithgareddau a chymdeithasu**, sydd o fudd mawr i'w lles meddyliol.

Roedd 'Siân' yn ddiolchgar iawn am fewnbwn Glain ond methodd ddatrys un broblem. Roedd ei mam wedi dechrau bod ag **obsesiwn** ynghylch y ceir niferus oedd yn cael eu parcio ar ddreif ei chymydog ac yn cynddeiriogi wrth eu gweld. Aeth hyn ymlaen am wythnosau ac ni fedrai 'Siân' dawelu ei mam na rhesymu â hi. Awgrymodd Glain y byddai'n syniad i 'Siân' ysgrifennu llythyr at y cymydog i gwyno am y ceir ac iddi esgus ei anfon ato. Wrth gwrs, doedd dim newid yn nifer y ceir oedd yn parcio, ond roedd 'Vera' wedi dweud wrth ei ffrindiau eu bod nhw ill dwy wedi sortio'r broblem allan. Ni chlywyd rhagor am y mater.

Dywed Glain:

Dyma flas o'r gwasanaethau a'r gweithgareddau y byddwn yn eu cynnig i ofalwyr. Os ydych **chi** yn ofalwr a bod arnoch angen gwybodaeth a chymorth, cysylltwch â'ch canolfan gofalwyr lleol neu gydag 'Un Pwynt Mynediad' eich Awdurdod Lleol.

* * *

**North East Wales Carers'
Information Service *
(NEWCIS)**
Gwasanaeth Cefnogi
Gofalwyr yng
Ngogledd-Ddwyrain Cymru
yn Sir Ddinbych,
Sir y Fflint a Wrecsam.

CEFNOGI GOFALWYR YN Y GYMUNED
SUPPORTING CARERS IN THE COMMUNITY

Diffiniadau o ofalwr

- Mae Deddf Gwasanaethau Cymdeithasol a Llesiant (Cymru) 2014 yn diffinio gofalwr 'fel rhywun sy'n darparu neu sy'n bwriadu darparu gofal i oedolyn neu blentyn anabl'
- Mae unrhyw un sy'n cefnogi rhywun yn rheolaidd yn ofalwr
- Mae gofalwr yn berson sy'n darparu gofal di-dâl ar gyfer perthynas, partner neu ffrind sy'n sâl, bregus, anabl neu sydd â phroblemau iechyd meddwl neu'n camddefnyddio sylweddau.

Gofalwr teuluol di-dâl

Nid yw llawer o ofalwyr yn eu cydnabod eu hunain yn 'ofalwr'. Yn eu rôl ddi-dâl fel gofalwyr, yn amlach na dim maent yn:

- esgeuluso eu hiechyd eu hunain, addysg ac anghenion cymdeithasol
- yn jyglo gwaith â thâl a/neu ofynion aelodau eraill o'r teulu ochr yn ochr â'u rôl fel gofalwr.

Datganiad cenhadaeth NEWCIS

I holl ofalwyr teuluol di-dâl a gwirfoddolwyr Gogledd Cymru gael eu:

- cefnogi'n briodol
- gwerthfawrogi yn eu gwaith gofalu a gwirfoddoli
- llais
- cyfle a dewisiadau i fyw bywyd mwy boddhaus.

Nod NEWCIS

Datblygu ein gwasanaethau ymhellach i ofalwyr a gwirfoddolwyr a sicrhau bod y cymorth unigol a gaiff ei werthfawrogi cymaint yn cael ei gynnal.

Gwasanaeth NEWCIS

- Mae'r holl wasanaethau a ddarparwn yn rhad ac am ddim ac yn gyfrinachol.
- Rydym hefyd yn cyfeirio gofalwyr at wasanaethau mwy arbenigol a ddarperir gan sefydliadau eraill.
- Byddwch yn derbyn yr wybodaeth ddiweddaraf am newyddion a deddfwriaethau mewn perthynas â gofalu a'ch hawliau fel gofalwr a byddwch yn cael eich cyfeirio at yr wybodaeth a'r gefnogaeth fwyaf defnyddiol.
- Ystod eang o wasanaethau gwybodaeth:
  - cymorth i oedolion a gofalwyr ifainc
  - gwybodaeth am gefnogaeth ar gyfer gofalwyr
  - newyddlen chwarterol
  - hyfforddiant
  - digwyddiadau cymdeithasol
  - grwpiau, cyfle i fanteisio ar gyfleoedd seibiant;
  - cefnogaeth gydag addysg
  - cyfle i wirfoddoli
  - a llawer mwy!

Ariannu NEWCIS

Mae NEWCIS yn gwmni cyfyngedig drwy warrant 9317097. Elusen gofrestredig 1159934.
Fe'i hariennir gan:
- Awdurdodau Lleol Sir Ddinbych, Sir y Fflint a Wrecsam
- Cronfa Gymunedol y Loteri Genedlaethol
- Bwrdd Iechyd Prifysgol Betsi Cadwaladr. Mae NEWCIS yn aelod o Rwydwaith yr Ymddiriedolaeth Gofalwyr.

Manylion cyswllt NEWCIS:
* www.newcis.org.uk / enquiries@newcis.org.uk

Sir Ddinbych 01745331181
denbighshire@newcis.org.uk

Sir y Fflint 01352 752525
flintshireshire@newcis.org.uk

*   *   *

91

2 'Mae 'na lwybr golau trwy bob straen'

Gofal Dydd y Waen a Mari Lloyd Williams

Ganed Mari Lloyd-WIlliams yn 1969 yn Nyffryn Clwyd. Bu'n ddisgybl yn Ysgol Glan Clwyd cyn hyfforddi i fod yn feddyg ym Mhrifysgol Caerlŷr. Yn dilyn hynny, fe'i penodwyd yn Ymgynghorydd a Rheolwr Meddygol hosbis elusennol LOROS yng Nghaerlŷr. Yna, derbyniodd swydd yn Uwch-Ddarlithydd ym Mhrifysgol Lerpwl. Bellach, mae ganddi Gadair Bersonol yn Adran Feddygol y Brifysgol honno. Hyd yn ddiweddar iawn, hi oedd yr unig Athro Meddygol benywaidd yno. Mae'n gweithio'n ddiflino i wasanaethu ei chymuned. Hi yw Ysgrifennydd

Mari Lloyd Williams

Gofal Dydd Capel y Waen, Llanelwy. Mae'n aelod ar sawl pwyllgor sy'n ymwneud â gofal iechyd a gofal diwedd oes. Mae hi'n briod â Derec ac mae ganddynt ferch fach, Miriam, a thri o blant hŷn. Treulia'i hamser hamdden brin yn ffermio, coginio ac ymarfer crefftau cartref.

Yn ffodus i mi (drwy arweiniad Glain Jones, Asesydd Gofynion Gofalwyr Sir Ddinbych), cefais fy nghyfeirio fel gofalwr fy ngŵr at waith arloesol Capel Waengoleugoed yn cynnal canolfan Gofal Dydd y Waen. Yr hyn a wnaeth wahaniaeth allweddol i'm sefyllfa i oedd cymryd rhan yng ngweithgareddau amrywiol y sesiynau wythnosol gyda'n gilydd. Eli i'r galon i'r ddau ohonom yn sicr! Teg dweud nad oedd fy ngŵr yn awyddus o gwbl i adael y tŷ i fynychu'r capel a chymysgu ag eraill. Ac eto, dyma a ddywedodd fy ngŵr ar ôl y sesiwn cyntaf:

> Dw i wrth fy modd yma. Dwi'n teimlo mod i'n cyfri'. Dw i 'di ffeindio fy hyder eto.

Cymdeithas fechan cyfrwng Cymraeg ydi Gofal Dydd Capel y Waen; criw o bobl ymroddedig Cristnogol, bywiog, hwyliog, croesawgar a gweithgar. Mae drysau'r capel yn agored led y pen i bawb sy'n anghenus, heb ragfarn.

Dywed Mari:

> Mae ein hamcanion ar gyfer Gofal Dydd yn glir. Yn gyntaf, cynigwn ofal cyfeillgar a chariadus i unrhyw un sy'n byw gyda salwch hirdymor. Yn ail, cynigwn ysbaid i aelodau'r teulu sy'n byw gyda nhw.

Cyn cychwyn ar y fenter, gwnaeth yr aelodau ymchwiliad trylwyr, gan siarad ag amryw yn y maes.

> Penderfynwyd bod Gofal Dydd yn efelychu model 'gofal yr hosbis' a seiliwyd ar athroniaeth holistig o drin pob un fel unigolyn. Ac fel Dewi Sant, 'gwneud y pethau bychain' yw ein nod. Credwn fod hyn yn gwneud gwahaniaeth enfawr i bawb sy'n dod atom.

Cododd y syniad o sefydlu Gofal Dydd yng Nghapel y Waen am fod un o aelodau annwyl y capel wedi mynychu canolfan gofal dydd. Profiad anodd iawn iddi oedd hynny oherwydd y diffyg parch amlwg. Yn gyntaf, fe'i croesawyd wrth ei henw cyntaf heb ganiatâd. Yn ail, yr unig adloniant, ar wahân i eistedd o amgylch yr ystafell a syllu ar ei gilydd, oedd gêm o bingo cyn mynd adref. Er mor wael oedd hi o ran ei hiechyd, gwrthododd dywyllu drws y ganolfan honno eto.

Eglurodd Mari:

> Daeth tîm bach o wirfoddolwyr at ei gilydd a threfnwyd hyfforddiant ar lendid bwyd, cymorth cyntaf, iechyd a diogelwch ac amddiffyn pobl fregus. Gwirfoddolodd pedwar i goginio o wythnos i wythnos.
>
> Roedd 9 Mehefin, 2011, yn ddiwrnod hanesyddol i ni oherwydd dyna pryd yr agorwyd Gofal Dydd yng Nghapel y Waen. Bu gennym estyniad bach a weithredai fel festri ac roeddem yn awyddus iawn i agor y capel i'r cyhoedd. Ein nod oedd mynd ati fel capel i wasanaethu'n cymuned, gan gynnwys pawb o bob ffydd. Aethom ati i godi'r arian angenrheidiol i wneud hynny.

Wedi gosod popeth yn ei le, y cam nesaf oedd gweld pwy fyddai am fynychu. Aethant ati i gysylltu â sawl un, ond cymysg oedd yr ymateb. Yn wir, rhoddodd un neu ddau'r ffôn i lawr arnynt! Wrth reswm, bu'n anodd iddynt ddisgrifio rhywbeth nad oedd eto'n bodoli. Hefyd, er eu bod yn frwdfrydig a gobeithiol, roedd ganddynt ofn addo gormod.

Eglurodd Mari:

> Buasai wedi bod mor hawdd siomi pobl fregus oedd yn edrych ymlaen cymaint at ddod atom. Erbyn meddwl, doedd dim syndod, felly, fod amryw wedi gwrthod ein gwahoddiad! 'Wnaethom ni erioed hysbysebu'n gyhoeddus, ond o'r diwrnod cyntaf ymlaen llifodd y ceisiadau i mewn.
>
> Y drefn am y saith mlynedd gyntaf oedd coginio pryd dau-gwrs blasus i dros ugain o bobl. Bu'n dipyn o her i ddarparu cinio a phwdin poeth gwahanol bob wythnos mewn cegin mor fach. Gwnaethom hyn oll gyda phopty bach yr un maint ag un cartref. Roedd ein cogyddion yn hynod ddyfeisgar. Llwyddasant i baratoi bwydlen cystal ag unrhyw westy pum seren!
>
> Credwn mewn adlewyrchu'r gymuned drwy gymysgu plant a phobl o bob oed ac anabledd. Ein ffocws yw'r unigolyn, nid label ei

Thomas Elfed yn coginio

94

salwch. Byddant o bob oedran yn rhannu gweithgareddau, a chael llawer o hwyl yn helpu ei gilydd. Trefnwn weithgareddau amrywiol sy'n cynnwys paentio ac arlunio, crefft, garddio, trefnu blodau, sgyrsiau, cyngherddau, coginio, pobi, *Tai Chi*, triniaethau amgen, paentio ewinedd a thrin gwallt.

Dros gyfnod o ddeng mlynedd, rydym wedi gofalu am dros ddau gant dau ddeg o unigolion a'u teuluoedd. Cyfeiriwyd y mwyafrif atom trwy weithwyr y gwasanaethau cymdeithasol, y nyrsys cymunedol neu deulu a ffrindiau. Roedd yr ieuengaf yn ei dridegau a'r hynaf dros gant oed.

Derbyniwn bobl gyda salwch megis canser, clefyd Parkinsons, MS, clefyd *Motor Neurone Disease*, clefyd y galon, alcoholiaeth, ac eraill ar ddialysis, a nifer â dementia. Ar hyn o bryd, mae gennym dri deg saith ar ein llyfrau ac mae tri ohonynt dan hanner can mlwydd oed. Bellach, gyda chynifer o bobl ag anghenion dietegol arbennig, ni allwn lai na rhoi cydnabyddiaeth uchel iawn i'r ddwy wych sy'n coginio prydau hynod yma'n rheolaidd.

Yn 2016 cychwynnon ni ail ddiwrnod wythnosol i gefnogi rhai mewn amgylchiadau arbennig oherwydd iechyd yr unigolyn neu'r sefyllfa deuluol.

Yn 2018 agorwyd *crèche* i groesawu pedwar neu bump o blantos rhwng dwyflwydd a phedair oed i ymuno â'r rhai hŷn am dri chwarter awr. Byddant yn rhannu gweithgareddau gyda phobl hŷn Gofal Dydd. Mae'r trefniant hwn yn debyg i'r arbrawf deledu, 'Hen Blant Bach'. Mae'n digwydd yn wythnosol ac mae'r berthynas rhwng y bobl hŷn a'r plant lleiaf yn hynod werthfawr a chofiadwy.

Cost flynyddol cynnal Gofal Dydd bellach yw ychydig dros £30,000. Mae hwn yn swm enfawr iddynt ei godi, sy'n codi ac yn profi'n anos yn flynyddol. Gyda Covid-19 a'i effeithiau, mae codi arian yn mynd yn dasg fwyfwy heriol.

Ni fyddwn yn codi tâl i fynychu Gofal Dydd, ond bydd y rhan fwyaf yn rhoi rhodd o £10 tuag at y gost bresennol o £38 y person y diwrnod.

Dros y blynyddoedd rydym wedi cael llawer iawn o fendithion a hwyl. Cawsom hefyd dristwch enfawr o golli nifer o 'deulu bach'

Gofal Dydd. Byddwn yn parhau i gynnig gofal i aelodau o'r 'teulu' hwnnw ar hyd misoedd, wythnosau ac, mewn rhai achosion, ddyddiau olaf bywyd. Ceisiwn gynnal teuluoedd tra bydd eu hanwyliaid gyda ni. Byddwn yn glust i wrando ar eu gofidiau a'u profiadau. Mae amryw wedi disgrifio Gofal Dydd fel gwasanaeth amhrisiadwy. Mae'r ysbaid wythnosol yn eu galluogi i barhau i ofalu am eu hanwyliaid yn eu cartrefi'n hwy nag a allent heb y seibiant.

Yn fy mhrofiad i a'm gŵr, elwon ni ill dau o ymwneud â **chapel dementia-cyfeillgar** go iawn. Credaf fod Capel y Waen yn fodel yn hyn o beth. Yn ei lyfr, *Frontline Fruitfulness,* mae Mark Greene yn disgrifio'r math hwn o ofal fel gogoneddu Duw drwy weithredu yn Ei Enw Ef ar y rheng flaen. Dyma'r union le y mae ar bobl wir angen y gofal. Sylweddolais maes o law fod arnaf innau, fel gofalwr, hefyd angen cynhaliaeth i ddal ati. Yn sicr, bu fy ffydd yn sylfaen, a bu meddylgarwch ffrindiau a chymdogion yn gefn amhrisiadwy. Honna Mark Greene y gellir gwneud llawer mwy o ddefnydd o'n haddoldai drwy agor y drysau i ryddhau cariad Duw o gadwynau'r adeilad ac o afael tyn y seintiau.

Yn ei cherdd ar ddathlu daucanmlwyddiant Capel y Waen yn 2015, crisialodd y bardd a'r llenor, Karen Owen, wir werth y math hwn o waith rheng flaen:

Gofal Dydd y Waen

Pan fydd dy lôn yn droellog ac yn hir,
Pan fydd hi'n law, a'r map heb fod yn glir,
Pan fydd yr enwau'n niwl, a'r haul yn bell
A'r rhagolygon ddim yn addo gwell,
Pan fydd y dydd fel nos o friwiau hallt,
Pan fydd bob taith yn dynfa i fyny'r allt,
Pan fyddi dithau'n anobeithio bron
A'th holl amheuon lond yr ardal hon,
Mae 'na lwybr golau trwy bob straen
At gariad mwya'r byd yng nghôl y Waen.

* * *

96

3 'Hunanofalu'

Leah Sznech, Perchennog Parlwr Harddwch IVORY, Wrecsam

Ganed Leah yn yr Orsedd (*Rossett*) yn 1988. Mae ei thad yn hanu o Wlad Pwyl a'i mam o gyffiniau Wrecsam. Mae Leah yn briod â Chris ac mae ganddynt ferch fach, Neli, sy'n flwydd oed.

Bûm yn ymweld â Leah yn ei pharlwr harddwch yn fisol am chwe blynedd. Ymwelais â hi'n gyntaf pan awgrymodd fy nghymdoges y buaswn yn elwa'n fawr o wneud hynny, gan fy mod yn wylofus ar amrantiad ac yn ymddangos yn flinedig ac o dan straen. Os hynny, dim rhyfedd, mewn gwirionedd, oherwydd digwyddodd clwstwr o

Leah Sznech

ddramâu emosiynol imi mewn cyfnod byr, gan gynnwys:

– tor priodas
– gofalu am fy mam cyn ac yn ystod ei gwaeledd, ac yna ei marwolaeth
– symud cartref dair gwaith
– sepsis
– dwy ddamwain car
– gofalu am fy ngŵr a ninnau wedi gwahanu, ac yntau'n 92 mlwydd oed ac yn llithro i grafangau dementia i'r fath raddau nes i mi orfod trefnu cartref gofal 24/7 ar ei gyfer a'i hebrwng yno
– llawdriniaeth ar fy ngwddw a cholli fy llais.

Deuthum i adnabod Leah yn dda dros y cyfnod hwnnw. Bu f'ymweliadau â hi yn therapiwtig. Nid wyf yn berson sy'n gwegian yn hawdd ond roedd pwysau'r gofal am ddau aelod hŷn o'm teulu, lle'r oedd y ddibyniaeth mor drwm, yn gyfrifoldeb. Wrth i gyflwr fy ngŵr ddirywio, bu'n llai a llai posibl dal pen rheswm. Hefyd, byddai'r naill greisus ar ôl y llall yn codi bob awr o'r dydd a'r nos. O ganlyniad, byddai'n amhosibl cadw trefniadau ac apwyntiadau. Byddwn byth a hefyd yn gorfod ymddiheuro.

Cefais loches gyda Leah – y triniaethau a'r therapi siarad. Syrthiais i gysgu droeon, collais ddysglau o ddagrau, a derbyniais faldod heb ei ail. Byddwn yn cyrraedd adref yn gryfach ac yn ysgafnach fy meddwl a'm hysbryd – os nad yn harddach!

Meddai Leah:

> Hunanofal yw'r arfer o weithredu i gynnal neu i wella ein hiechyd a gwarchod ein lles a'n hapusrwydd. Mae hyn yn bwysicach fyth wrth ddelio â chyfnodau o bryder, straen a gofid.
>
> Yn fy nhyb i, mae'n gwbl angenrheidiol inni ofalu am y meddwl, y corff a'r enaid. Nid yn unig am ein bod yn haeddu hyn, ond er mwyn ein galluogi i ffynnu orau medrwn ni wrth ddelio â threialon bywyd o ddydd i ddydd.
>
> Yn y byd sydd ohoni, rydym yn brysurach nag erioed. Gallwn ganfod amser i wneud hyn a'r llall ac arall, ac yn sicr rhaid canfod amser i bobl eraill. Ond, tybed a ydym ni'n neilltuo digon o amser i ofalu amdanom ni ein hunain. Os ydym yn onest, onid ydym ni i gyd yn euog o'n hesgeuluso ein hunain yn llawer rhy aml? Felly, sut y disgwylir inni fod yn ddigon iach yn gorfforol, yn feddyliol ac yn ysbrydol i allu gofalu, caru ac edrych ar ôl eraill, os nad ydym ni yn y lle cyntaf yn defnyddio'r un mantra ein hunain?
>
> Mae cymryd ychydig amser allan o'r bwrlwm dyddiol – tynnu'r pen allan o'r injan, fel petai – yn hanfodol a hynod werthfawr i roi cyfle inni adfyfyrio ac adfywio.

Gall hunanofal gymryd sawl ffurf: mynd am dro, gwrando ar gerddoriaeth, darllen hoff lyfr neu ymfaldodi mewn ychydig o 'F'Amser I' mewn parlwr harddwch.

Meddai Leah:

> Ar ôl gweithio i rywun arall am wyth mlynedd, teimlais ym mêr fy esgyrn ei bod yn amser i mi sefydlu fy mharlwr fy hun. Fy mantra i fynd amdani oedd: *Gofyn, Credu, Derbyn*. Felly, agorais barlwr harddwch IVORY yn 2013. Hwn oedd fy nghyfle i ddisgleirio. Roedd

fy meddwl yn fwrlwm o syniadau a disgwyliadau, ac roedd gennyf dempled pendant o'r ddelwedd yr hoffwn ei chreu a chynllun clir ar sut i weithredu. Yn bennaf, gwyddwn sut yr oeddwn am i'm cwsmeriaid deimlo wedi iddynt ymweld â pharlwr harddwch IVORY.

Fy mwriad ar y pryd – sy'n parhau'n fwriad – oedd creu lloches lle y gall pobl ddianc oddi wrth straen a hyrlibyrli bywyd. Beth bynnag fo dewis fy ngwesteion – boed yn gŵyrio'u haeliau am chwarter awr neu ddiwrnod llawn o *pamper* – fy mod bob tro yn peri iddynt deimlo'n arbennig iawn. Y nod yw iddynt ymollwng yn llwyr.

Byddaf yn cyfarfod amrediad eang o westeion o wahanol gefndir, oedran a bywoliaeth. Rwy'n caru hyn yn fawr iawn. Yn wahanol i siopau trin gwallt, does dim siarad gwag. Caf glywed straeon personol fy ngwestai. Mae pobl yn ymddiried ynof. Fi fydd y cyntaf weithiau i glywed eu newyddion cyffrous, er enghraifft: disgwyl babi, dyweddïo, tor priodas, salwch, profedigaeth. Beth bynnag, fy nghyfrifoldeb i yw gwrando, llawenhau, cydymdeimlo ac, ar brydiau, cynnig cysur.

Cyflwynaf awyrgylch braf ymlaciol fel bod fy ngwesteion yn teimlo'n gyfforddus ac yn barod i gilio o'r byd y tu allan. Gwnaf hynny trwy ddefnydd o ganhwyllau, olew aromatherapi a cherddoriaeth dawel yn y cefndir. Byddaf hefyd yn rhoi croeso cynnes a chyfeillgar iddynt.

Os yw'r gwestai'n syrthio i gysgu ynghanol y therapi (*massage* fel arfer), mae hynny'n llwyddiant! Mae'n foddhad enfawr i wybod bod fy ngwestai wedi cael cymaint o foddhad nes syrthio i gysgu!

Tybed a fydd cymryd seibiant hunanofalu weithiau'n achosi tyndra – euogrwydd, hyd yn oed? Dylid cofio bod y gwasanaethau cymdeithasol yn cynghori gofalwyr i gymryd hoe fach ac yn hybu eu rhyddhau i'w galluogi i fanteisio ar hynny. Gall aelod o'r teulu, ffrind neu gymydog eistedd gyda'r claf i ryddhau'r gofalwr yn rheolaidd. A dichon y bydd y claf hefyd yn elwa o weld wyneb newydd.

Gofalu am yr hunan er mwyn gofalu am eraill gyda gwên.

Manylion cyswllt:
leah.sznerch@hotmail.com
20 Temple Row, Wrecsam, LL13 8LY

* * *

4 'Defnyddio'r llais'

Prydwen Elfed-Owens
Perthynas un o breswylwyr cartref gofal yn Llanelwy

Yn dilyn asesiadau, oherwydd dirywiad yn ei gyflwr, cynnydd yn ei anghenion a newid yn ei ymddygiad, gwelwyd yn glir nid oedd gan fy ngŵr bellach y gallu i ymgymryd yn annibynnol ag amryw agweddau ar ei fywyd beunyddiol. Aeth y sefyllfa'n drech na'r ddau ohonom. O'r

Thomas a Prydwen Elfed-Owens

100

cychwyn cyntaf, fel roedd ei gyflwr yn gwaethygu, penderfynais fod gwarchod ei urddas a'i safon byw yn flaenoriaeth. Penderfynodd yr arbenigwyr mai'r cam nesaf oedd cartref gofal 24/7.

Ar sail hynny, aethpwyd ati i benodi gweithiwr cymdeithasol â chyfrifoldeb penodol amdano. Yn anffodus, gorfu i mi wrthod y gweithiwr cymdeithasol cyntaf oherwydd ei ddiffyg profiad i ddelio â'm gŵr oedrannus. Nid oeddent yn cydweddu i'w gilydd ac roedd y cyferbyniad rhyngddynt yn drawiadol. Gwyddwn na fyddai'n ennyn unrhyw hyder yn fy ngŵr wrth drafod newidiadau sylweddol i'w fywyd. Er bod hynny'n heriol, roeddwn yn falch imi wneud safiad pendant ar y pryd gan ddefnyddio fy 'llais' er lles fy ngŵr.

Cytunwyd ar weithiwr cymdeithasol arall oedd â chymwysterau a phrofiad mwy addas i ddelio â'r sefyllfa. Roedd y wraig hon newydd ymddeol ac yn gweithio dros dro i wasanaeth cymdeithasol y sir. Roedd hi'n dosturiol, yn gynnes, yn broffesiynol ac yn deall fy ngŵr a'i bryderon yn syth. Gwerthfawrogwn gydweithrediad y gwasanaethau cymdeithasol a'u cydnabyddiaeth i mi am fod mor ofalus o'm gŵr a'i ddyfodol.

Yn ystod ein trafodaeth – sef fy ngŵr a fi a'r gweithiwr cymdeithasol – dywedodd ef o'i wirfodd mai ei ddymuniad oedd mynd i gartref gofal a chyfeiriodd fwy nag unwaith at y gwahaniaeth sylweddol yn ein hoedran. Credai fod hynny'n well iddo ef ac yn decach arnaf fi. Roeddwn yn falch o glywed hyn, yn enwedig yng ngŵydd rhywun arall. Nid oedd angen i mi, felly, wneud defnydd o'm Grym Atwrniaeth Arhosol.

Roeddem wedi trafod y sefyllfa ddwys yn barod ac ym mha ffordd y byddai orau i ni symud ymlaen er lles y ddau ohonom. Daethom i gytundeb y buaswn i'n dychwelyd i'r cartref ac y byddai yntau, mewn amser, yn symud i gartref gofal. Yr amod oedd y byddwn i'n dal yn *gyfrifol* amdano wedi iddo fynd i'r cartref gofal ac yn cadw mewn cyswllt dyddiol ag ef. A dyna a fu.

Yn groes i'm disgwyliadau, nid cyfrifoldeb y Gwasanaethau Cymdeithasol ydi canfod cartref gofal addas. Syrthiodd hynny ar f'ysgwyddau i fel y gofalwr cofrestredig a'r perthynas agosaf. Er hynny, cefais restr o gartrefi lleol gan y gweithiwr cymdeithasol ond dim awgrym o gwbl pa un i'w ddewis. Rhaid oedd i *mi* benderfynu hynny. Cyn rhuthro i wneud dim, syrthiais yn ôl ar fy mhrofiad yn arolygydd ysgolion drwy greu rhestr o feini prawf i'm cynorthwyo i lunio rhestr fer o gartrefi gofal, er mwyn gwneud y dewis gorau i 'ngŵr. *Best fit.*

Dyma oedd y meini prawf ar gyfer llunio rhestr fer o gartrefi posibl:

- cartref o fewn pum milltir i Drefnant er mwyn cadw at ein cytundeb i gysylltu'n ddyddiol
- cartref yn cael ei redeg fel busnes teuluol, nid cwmni corfforaethol
- ansawdd yr wybodaeth ar wefan y cartref gofal
- sylwadau arolygwyr, sef Arolygiaeth Gofal Cymru / *Care Inspectorate Wales*, yn eu harolygiad diweddaraf
- agwedd gyntaf y cartref wrth ateb y ffôn.

Fel y digwyddodd, dim ond un cartref oedd yn cyfateb i'm meini brawf ac o'r herwydd yn deilwng o ymweliad. Gwnes apwyntiad, lluniais feini prawf, agenda a rhestr o gwestiynau.

Dyma'r meini prawf ar gyfer asesu'r sefyllfa yn ystod yr ymweliad:

- ansawdd a diffuantrwydd y croeso
- y gallu i wrando ac i ateb a gofyn cwestiynau
- sgiliau sgwrsio a chyfathrebu
- tystiolaeth o agwedd garedig, dosturiol a chariadus
- ymroddiad i'r gwaith
- gwir ddiddordeb yn y person a pharch tuag ato.

A dyma'r pethau i holi yn eu cylch yn ystod yr ymweliad:

- hyd eu perchenogaeth o'r cartref
- sylw i anghenion personol
- gofal meddygol
- trefniadau diwedd bywyd
- trosiant staff a'u morâl
- defnydd o staff asiantaeth
- profiad a hyfforddiant staff
- pryd y bydd ystafell ar gael?
- hawl i addasu ystafell a'i phersonoli
- cost.

Wrth sgwrsio â'r dirprwy reolwr, roedd ei diffuantrwydd, ei theimlad o dosturi a'i hymwybyddiaeth o'm pryder fel gofalwr yn hollol amlwg. Er mai dim ond un cartref oedd ar fy rhestr fer, oherwydd eu hymateb ffafriol i'm hymweliad, doedd gen i ddim amheuaeth nad hwn oedd y cartref gorau i'm gŵr. Gwaetha'r modd, nid oedd ystafell wag ar gael ar y pryd ond rhoddwyd fy ngŵr ar frig y rhestr am ystafell oedd ar y llawr isaf, yn ôl ei ddymuniad. Ysywaeth, eu hamcangyfrif oedd y byddai blwyddyn, o leiaf, cyn y byddai ystafell ar gael iddo. Roeddem yn fodlon disgwyl oherwydd teimlwn mai hwn oedd y lle delfrydol i'n anghenion.

Fel y gwelir, roedd fy mryd yn bennaf ar sicrhau ansawdd y gofal ac ar rinweddau personol y rheolwyr a'r staff. Dewis *cartref* yr oeddwn i – lle diogel a chysurus – nid gwesty pum seren!

Aeth tri mis heibio a gwenodd y duwiau arnom. Derbyniais alwad ffôn yn datgan bod stafell ar gael ar y llawr isaf. Yr un pryd, rhoesant wybodaeth i mi y gallem bersonoli'r ystafell fel y mynnem er mwyn helpu fy ngŵr i ymgartrefu.

Yr her nesaf oedd helpu fy ngŵr drwy gadw mewn cyswllt dyddiol fel yr addewais. I'r perwyl hwnnw, deuthum i wybod am ffôn symudol arbenigol ar gyfer pobl â dementia sef *Doro Secure 580* – teclyn syml iawn i'w weithredu drwy bwyso un botwm. A dyna ni mewn cyswllt dyddiol. Fel yr âi amser yn ei flaen, daeth y teclyn hwn yn rhan annatod o'n bywyd. Pan ffrwydrodd Covid-19, gan effeithio ar bawb yn y byd, dyma pryd y gwerthfawrogwn y teclyn hwn fwyaf oll. Daeth hwn yn 'llinell achubiaeth' i ni ill dau a'n cynnal yn ystod cyfnod cyfyngedig y clo.

Os oedd arnaf angen unrhyw gadarnhad i mi wneud y dewis gorau ac i leddfu'r euogrwydd oedd yn fy mhigo o bryd i'w gilydd, cefais gysur amhrisiadwy yng ngeiriau arbenigwr seicogeriatrig fy ngŵr ar drothwy'r Nadolig:

> *You really must not feel guilty, you have done your best. Your husband is in the right place at the right time.*

Yn wir, roedd yr haleliwia yn llenwi f'enaid i a rhoddais, Iesu, fy mawrhad i Ti.

* * *

5. 'Rhagbaratoi yw'r allwedd'

Agweddau cyfreithiol dementia

E. Dilwyn Jones, Cyfreithiwr

Wrth i gyflwr fy ngŵr ddirywio, cysurais fy hun am imi fod mor flaengar yn trefnu pethau cyfreithiol ar gyfer y ddau ohonom ymhell cyn i unrhyw salwch ymddangos.

Yn ogystal â hyn, roeddwn yn falch o'r cyfle a gefais drwy NEWCIS i gael ymgynghoriad *pro bono* â chyfreithiwr arbenigol. Er hynny, pan ddaeth yr amser i weithredu'r Grym Atwrniaeth Arhosol (GAA), ni ddychmygais erioed yr holl gymhlethdod fyddai'n codi wrth ddelio

E. Dilwyn Jones

ag unrhyw fater ariannol. Dyna pryd roedd arnaf wir angen llais a dyfalbarhad. Bu bron i gymhlethdodau cyfreithiol fy llorio droeon.

Felly, wrth gynllunio'r gyfrol hon, teimlais ei bod yn hanfodol cynnwys y cyngor diweddaraf gan arbenigwr yn y maes sydd hefyd â phrofiad fel gofalwr.

Medd Dilwyn:

> Rhagbaratoi yw allwedd llwyddiant yn achos agweddau cyfreithiol dementia. Os nad yw'r claf wedi rhagbaratoi, nid oes dewis, os daw dementia, ond troi at y Llys Gwarchodaeth* am orchymyn i **benodi rhywun i fod yn gyfrifol am ei eiddo a'i faterion ariannol** ayyb. Mae hynny'n gorfod digwydd mewn rhai amgylchiadau, ond gall fod yn broses hir a chostus. Hefyd, gallai'r Llys benodi rhywun na fyddai'r claf wedi ei ddewis na'i gymeradwyo. Mewn sefyllfa o'r fath, bydd y Llys yn dechrau gyda'r perthynas neu'r perthnasau agosaf. Ond, os nad ydynt hwy'n dymuno ymgymryd â'r gwaith neu os oes anghydfod teuluol, gellir penodi dirprwy oddi ar banel y Llys. Gan amlaf, rhywun o fyd y gyfraith fydd hwnnw/honno.

104

Y ffordd orau o ragbaratoi yw arwyddo **Grym Atwrniaeth Arhosol** (GAA). Rhaid gwneud hynny mewn da bryd tra bo'r claf yn glir ei feddwl. Er nad yw'n bwnc pleserus i'w drafod, mae'n fanteisiol iawn. Gall fod yn rhy hwyr i'w brosesu pan fo arwyddion dementia'n dechrau eu hamlygu eu hunain.

At hynny, ceir **dau fath o GAA**: un sy'n ymwneud ag arian ac eiddo a'r llall sy'n delio ag iechyd a lles. Mae rhai dan yr argraff y bydd GAA arian ac eiddo yn ddigon i orfodi meddygon i gymryd sylw o'r atwrnai yn achos triniaethau i'r claf. Yn dechnegol, nid yw hyn yn gywir, er bod eithriadau'n bodoli, bid siŵr. Fodd bynnag, yr unig ffordd i fod yn gwbl ddiogel yw drwy arwyddo GAA arian ac eiddo yn ogystal ag un iechyd a lles.

Ychwanegodd Dilwyn:

Clywais yn ddiweddar am achos lle'r oedd y claf wedi cynnwys datganiad yn ei GAA iechyd a lles y byddai *yn* dymuno cael ei adfywio o dan bob amgylchiad posibl. Fodd bynnag, mae **datganiad i beidio ag adfywio** yn llawer mwy cyffredin. Wrth reswm, mewn sawl achos, nid yw'r sefyllfa'n codi beth bynnag.

Mae angen i dyst annibynnol arwyddo ffurflen i dystio i briodoldeb yr atwrnai ar gyfer y gwaith. Bydd angen rhoi rhybudd ysgrifenedig, hefyd, i amryw bobl, gan gynnwys unrhyw un sydd o statws nes na'r darpar-atwrnai neu sy'n gyfartal ag ef/hi. Hefyd, mae angen cofrestru pob GAA gyda'r Llys Gwarchodaeth cyn y byddant yn ddilys. Hyd yn oed wedyn, gall y broses fod yn hirfaith, yn enwedig wrth gofrestru gyda rhai banciau, sefydliadau ariannol ac adrannau pensiynau.

Gellir **lawrlwytho'r ffurflenni priodol a chyfarwyddiadau manwl** oddi ar wefan y Llys Gwarchodaeth.

Ac medd Dilwyn:

Gwn am sawl un a wnaeth hynny'n ddigon llwyddiannus. Ffi cofrestru'r llys oedd yr unig gost mewn rhai achosion.

Fodd bynnag, mae'n well gan lawer fynd at gyfreithwyr i baratoi'r ddau GAA drostynt. Teg dweud nad yw hynny'n rhad. Un fantais, fodd bynnag, yw bod cyfreithwyr yn llawer llai tebygol o wneud camgymeriadau. Mae llawer hefyd yn hoffi'r elfen annibynnol sy'n dod wrth ddefnyddio darparwr proffesiynol, gan fod hynny'n lleihau'r posibilrwydd o ymgecru teuluol neu gyhuddiadau o gam-ddylanwadu teuluol ayyb.

Yn sicr, mae cael dau GAA yn eu lle yn gymorth amhrisiadwy. Mae hynny'n symleiddio pethau ac yn lleihau'r pwysau ar deulu pan fydd rhywun yn dechrau dangos arwyddion o ddementia.

Mae rhai'n poeni am y sefyllfa lle y gallai **eu holl arian a'u heiddo fynd i dalu am ofal** – yn enwedig wedi iddynt lafurio'n galed ar hyd eu hoes i gael eu cartref a cheiniog neu ddwy yn y banc. Yn aml, eu dymuniad yw gadael eu heiddo a'u harian yn etifeddiaeth i'w plant neu aelodau o'r teulu agos ayyb. Yn sicr, nid ydynt yn dymuno i'r cyfan ddiflannu i dalu iddynt fod mewn lle na fyddent yn dymuno bod ynddo beth bynnag.

Bydd rhai yn rhoi eu cartref yn enwau eu plant. Rhaid cofio, os rhoddir eiddo yn enw rhywun arall, mae'n eiddo i'r 'rhywun arall' wedyn. Gall hynny greu sefyllfa ddyrys, pe bai'r perchennog newydd yn ysgaru, er enghraifft, neu'n mynd i drafferthion ariannol.

Dull poblogaidd a mwy llwyddiannus yw **rhoi eiddo mewn ymddiriedolaeth** fel nad yw'n eiddo i'r perchennog gwreiddiol mwyach. Nid yw ychwaith yn eiddo yn llwyr i neb arall. Mae gan yr ymddiriedolaeth yr hawl i ganiatáu i'r perchennog gwreiddiol barhau i fyw yn yr eiddo. Byddant gan amlaf yn nodi hynny ar y sail mai eraill (y plant, gan amlaf) fydd yn cael yr eiddo wedyn. Mae dewis ymddiriedolwyr da a dibynadwy yn allweddol.

Pwnc fyddai'n gallu hawlio pennod ar wahân yw derbyn arian priodol a dyladwy gan yr Asiantaeth Budd-daliadau tuag at gostau gofal a chymorth. Yn sicr, dylid hawlio beth bynnag sydd ar gael, oherwydd erbyn i'r mwyafrif o bobl â dementia gyrraedd y sefyllfa honno, y maent wedi talu i mewn i'r Wladwriaeth am flynyddoedd lawer.

* Swyddfa'r Gwarcheidwad Cyhoeddus yw'r enw swyddogol erbyn hyn.

* * *

6 'Urddas ac ansawdd bywyd'

Dr Tariq Obeid, Arbenigwr seicogeriatrig

Daeth Dr Obeid i'm bywyd yn Rhagfyr 2019 oherwydd fy nghwyn ffurfiol yn cwestiynu'r modd y cynhaliwyd y broses wreiddiol ar asesu fy ngŵr. Roedd yn broses lle cefais i, fel gofalwr a chennyf Rym Atwrniaeth Parhaol, fy hepgor o'r drafodaeth. Gwaethygwyd hyn oll gan y ffaith i'r canlyniad gael ei adrodd yn uniongyrchol i'm gŵr, yn groes i'm cyfarwyddyd ysgrifenedig nad dyna oedd y peth gorau er ei les.

Dr Tariq Obeid

Mynnais, a chefais, ail farn. Rhoddwyd y gwaith o ail-werthuso i Dr Obeid, arbenigwr locwm seicogeriatraidd annibynnol mewn asesiad cof, a oedd ar gytundeb i'r bwrdd iechyd. Adolygodd ef y data meddygol a'r asesiad, ac adroddodd yn ôl yn uniongyrchol i mi (ym mhresenoldeb rheolwr y cartref gofal, yn unol â'm cais).

Roedd y cyfarfod adborth yn ddatguddiad ac yn drobwynt o ran fy nealltwriaeth o gyflwr fy ngŵr, sydd yn naw deg dau mlwydd oed. Bu'n gymorth hefyd imi adolygu fy rhan fy hun fel ei ofalwraig. Nid yn unig roedd Dr Obeid yn adrodd ar werth a dehongliad yr asesiad meddygol ond, hefyd, ac yn fwy arwyddocaol, fe addysgodd reolwr y cartref gofal a minnau sut i ddeall natur dementia yn well o lawer.

Roedd ei eglurhad yn cynnwys sôn am yr amrywiol fathau o ddementia ac ymhelaethodd ar y rhain gan bwysleisio'r un priodol yn achos fy ngŵr. Holodd gyfres o gwestiynau arwyddocaol cyn darlunio'r siwrne debygol oedd o'n blaen. Roedd yr eglurhad hwn yn gymorth i mi fy holi fy hun ynghylch beth y gallwn ei wneud i fod o gymorth i'm gŵr er mwyn arafu rywfaint ar ddatblygiad y clefyd dirywiol, didostur hwn o'r ymennydd. Roedd y cliwiau yng nghwestiynau Dr Obeid ynghylch ei symudedd, ei awch am fwyd, ei batrymau cysgu, a'i allu i wisgo a bwyta'n annibynnol.

Erbyn hyn, roedd yn rhaid i mi dderbyn nad fi oedd prif ofalwr fy ngŵr bellach; yr oedd y cyfrifoldeb hwnnw wedi ei drosglwyddo i'r cartref gofal. Felly, roedd cyd-ddealltwriaeth rhyngom yn hanfodol os oeddwn i barhau i fod ag unrhyw ddylanwad o ran cynnal ei urddas ac ansawdd ei fywyd. Dysgais yn fuan, hefyd, y byddai'n rhaid i mi ymyrryd heb ofn na ffafr pan fyddwn yn gweld angen am hynny. I'r perwyl hwnnw, gwnes bethau megis:

- sicrhau bod ei ystafell yn atgynhyrchiad o'i gartref, yn cynnwys dodrefn personol, manion bethau addurniadol a chwpan â'i enw arni
- darparu ffôn dementia-gyfeillgar y gallai barhau i'w ddefnyddio yn ôl ei ddymuniad i gadw mewn cysylltiad â mi pan fyddai angen cysur
- prynu dillad o ansawdd iddo, gan gynnwys crysau newydd yn ei hoff liwiau
- labelu'r cyfan o'i eiddo yn glir, a'i enw llawn arnynt fel y dymunai iddo ymddangos
- darparu labeli cynnwys clir ar bob drôr, cwpwrdd a wardrob
- sicrhau gwely tra chyfforddus – dillad gwely newydd o ansawdd, gorchudd matras foethus a gobennydd plu i warantu noson dda o gwsg.

O ganlyniad, lleihaodd cyffro a phryder fy ngŵr yn sylweddol. O ystyried ei oed a'i amgylchiadau, mae'n mwynhau bywyd o ansawdd da. Diolchaf i Dr Obeid am y gwelliant hwn yn ein bywydau ni'n dau.

Ganed a maged Dr Tariq Obeid yn Swdan ac astudiodd feddygaeth yn Rwmania. Enillodd radd meistr ym Mhrifysgol Lerpwl a gwnaeth waith ymchwil ym Mrasil. Mae ei wraig a'i blant hefyd yn gweithio yn y Gwasanaeth Iechyd Gwladol. Bu'n gweithio fel ymgynghorydd (locwm) mewn amrywiol ysbytai yng Nghymru, Lloegr a'r Alban, gan ennill ystod eang iawn o brofiad. Mae'n gwerthfawrogi pob cyfle datblygiadol i gydweithio gyda seicogeriatryddion eithriadol yn y Deyrnas Gyfunol. Yn ei dro, datblygodd yntau enw da fel arbenigwr ym maes 'asesiad arwybodol'.

Mae Dr Obeid yn credu fod hunan-barch ac ansawdd bywyd gorau posibl y claf yn hollbwysig. Dyna sylfaen ei holl waith. Mae'n gweithio mewn modd diwyd a thrugarog i ddangos parch at y claf a lleihau'r stigma sy'n gysylltiedig â dementia. Eglura ymhellach:

Nid yw unrhyw un, gan fy nghynnwys i fy hun, yn ddiogel rhag dementia a rhaid derbyn hynny a gweithredu. Ni ddylai dementia gario stigma. Rhaid gweithredu'n gyflym a chadarnhaol oherwydd mae rheolaeth gynnar yn sicrhau pecyn gofal da ac mae meddyginiaethau cynnal cof priodol yn arafu datblygiad y clefyd.

Yn ei dyb ef, mae dementia yn fethiant organig o'r ymennydd yn yr un modd â methiant calon neu fethiant aren. Hynny yw, mae'n salwch niwroddirywiol yn hytrach na salwch meddyliol. Mae Dr Obeid yn cysylltu'r seiciatreg â'i brofiad meddygol. Mae'n diffinio dementia fel hyn:

Mae'r term 'dementia' erbyn hyn yn derm meddygol cydnabyddedig. Term ymbarél ydyw am symptomau a chyflyrau sy'n achosi dirywiad yn y broses arwybodol. Yn wahanol i'r term 'senilaidd', gall dementia daro unrhyw un o unrhyw oed. Fodd bynnag, mae dementia i'w ganfod fwyaf mewn pobl oedrannus. Gwaetha'r modd, am iddo gael ei ddehongli'n rhy aml fel mater meddyliol yn hytrach na niwrolegol, mae'n parhau i gario stigma.

Rwyf yn delio â phob claf benywaidd gyda pharch a gofal fel pe bai'n fam i mi a phob claf gwrywaidd fel pe bai'n dad i mi. Roeddwn yn parchu fy nau riant yn fawr ac rwy'n parchu pob un o'm cleifion yn yr un modd.

Mae gen i brofiad personol o feddylfryd Dr Obeid ar waith wrth asesu claf – sef fy ngŵr – a gofalwr – sef myfi. Roedd ei werthoedd canolog yn disgleirio drwy'r holl broses: yn ei baratoad a'i ohebu geiriol ac aneiriol. Eglura eto:

Rwyf yn trin pob claf fel unigolyn, gan wybod pa mor allweddol ydyw fy mod yn deall ei natur a'i gymeriad. Gwnaf fy ngorau glas i ymweld â'r claf yn ei gartref i wneud asesiad yn ei sefyllfa naturiol ac arferol o ddydd i ddydd. Cadwaf olwg manwl arno wrth siarad ag ef wrth nodi'n ofalus unrhyw arwyddion neu symptomau meddygol.

Byddaf yn asesu'r gofalwr yn yr un modd, gan gymryd sylw gofalus o'i agwedd, ei iechyd a'i les. Gwnaf hyn gan fy mod yn sylweddoli pa mor allweddol ydyw'r rôl o ran cynnal urddas ac ansawdd bywyd y claf.

Mae Dr Obeid yn credu mai allwedd llwyddiant yw adnabyddiaeth gynnar. Eglurodd gyfnodau cyffredin y salwch a chefais y rhain yn ddefnyddiol iawn.

Yn aml iawn, y mae'r clefyd yn datblygu'n raddol trwy gyfnodau cyffredinol: ddim yn ddrwg, gweddol i ganolig, canolig, canolig i ddrwg, a drwg. Gan fod y clefyd yn taro amrywiol bobl mewn amrywiol ffyrdd, gall pob person oddef symptomau gwahanol – neu fynd trwy gyfnodau yn wahanol hefyd.

Mae Dr Obeid yn amlinellu'r broses fanwl o asesu blaen-ddiagnosis yr arbenigwr seiciatryddol fel hyn:

Gall meddyg teulu neu arbenigwr mewn clinig cof neu ysbyty gyflawni cryn becyn o asesiadau meddygol ac arwybodol. Nid oes un prawf ar gyfer dementia. Mae'r profion yn cynnwys y gofalwr, y teulu neu gyfaill agos sy'n adnabod y claf yn dda ac yn gallu disgrifio unrhyw newidiadau neu broblemau arwybodol. Bydd y meddyg yn holi sut a phryd y cychwynnodd y symptomau a sut y maent yn effeithio ar fywyd o ddydd i ddydd. Bydd hefyd yn holi a oes unrhyw gyflyrau eraill yn bodoli, megis clefyd y galon, clefyd y siwgr, iselder, strôc neu ddiffyg fitaminau. Bydd yn adolygu'r holl feddyginiaethau a gymerir, gan gynnwys rhai gan feddyg, rhai a brynwyd dros y cownter gan fferyllydd, ac unrhyw feddyginiaethau amgen fel fitaminau ychwanegol.

Mae pobl a chanddynt symptomau dementia yn cael prawf cof i asesu cyflwr y cof tymor-byr. Er na fedr y fath brofion roi diagnosis dementia, gallant ddangos trafferthion o ran y cof sydd ag angen sylw. Mae'r mwyafrif o'r profion hyn yn cynnwys cyfres o gwestiynau a phrofion pen a phapur, bob un â'i sgôr unigol. Mae'r profion hyn yn asesu sawl gwahanol fathau o allu meddyliol, yn cynnwys:

- cof tymor hir a byr
- hyd y cyfnod canolbwyntio a thalu sylw
- sgiliau iaith a chyfathrebu
- ymwybyddiaeth o amser a lle (ymwybyddiaeth sefyllfa).

Mae arfau'r diagnosis yn cynnwys:

- hanes asesiad meddygol ac arwybodol llawn y claf
- asesiad therapi galwedigaethol *(occupational therapy)*
- asesiad niwro-seicolegol.

Bydd y meddyg teulu gan amlaf yn trefnu profion gwaed hefyd, er mwyn eithrio achosion eraill – symptomau y gellid eu camddehongli am ddementia. Yn y mwyafrif o achosion, bydd y profion gwaed hyn yn profi'r iau, effeithiolrwydd yr arennau a'r theiroid, yn edrych am arwyddion clefyd y siwgr a lefelau fitamin B12. Os yw'r meddyg teulu o'r farn fod y claf yn dioddef o haint, bydd prawf dŵr yn cael ei drefnu neu ymchwiliadau eraill.

Eglura Dr Obeid fod arwyddion a symptomau gwahanol yn bodoli ar gyfer y mathau gwahanol o ddementia:

Bydd sganiau pen CT, MRI neu sganiau pen cyffelyb yn creu diagnosis dementia unwaith y bydd y profion symlach wedi eithrio rhai problemau. Gellir defnyddio'r rhain i ddarganfod problemau megis strôc, tyfiant ar yr ymennydd neu *atrophy (brain shrinkage)*.

Gwneir y diagnosis ffurfiol gan y meddyg cof, a llunnir cynllun unigol i gefnogi'r claf. Mae'r gwasanaeth clinig cof yn ôl-fonitro effaith y feddyginiaeth hybu'r cof a roddwyd ar bresgripsiwn gan y meddyg teulu. Maent hefyd yn darparu taflenni defnyddiol a gyhoeddir gan asiantaethau megis y Gymdeithas Alzheimer's. Ceir ganddynt wybodaeth a chefnogaeth ynghylch gwella ansawdd gofal ac ynghylch cyllido ymchwil i greu newidiadau sylweddol i fywyd pobl sydd â dementia.

Eglura Dr Obeid fod, yn gyffredinol, bum math o ddementia:

- Clefyd Alzheimer's
- Dementia fasgwlar
- Alzheimer's yn gymysg â dementia
- Dementia gyda Lewy
- *Frontotemporal dementia.*

Defnyddir amrywiaeth o ddulliau ymyrraeth heb orfod dibynnu ar feddyginiaeth. Edrychaf ar y dewisiadau hyn yn fanwl iawn. Golyga gofal tymor-hir gydbwysedd rhyfeddol o ofalus rhwng ymyrraeth a meddyginiaeth. Y mae amrywiaeth o ddulliau ymyrraeth y gellir eu defnyddio. Mae'r rhain yn cynnwys asesiad therapi galwedigaethol yn y cartref er mwyn asesu anghenion y claf yn ei gartref ei hun.

Pan fydd Dr Obeid yn ymweld â chlaf, ei nod yw cadw'r claf gartref cyn hired ag y bo modd. Fodd bynnag, bydd hyn yn gwbl ddibynnol ar asesiad risg trylwyr ac ar ba mor fregus yw'r claf yn gyffredinol. Bydd hyn yn cynnwys risg i ddiogelwch y claf ganddo ef ei hun, gan eraill a thrwy eraill, yn ogystal â risg gyrru car a risg ariannol. Mae'n credu bod teuluoedd yn hollol allweddol i ofal y claf ac, o gofio hynny, mae'n gwerthuso'r ddeinameg deuluol yn ofalus dros ben. Mae'n pwysleisio pwysigrwydd cael Grym Atwrniaeth Parhaol (dros arian ac eiddo a thros iechyd a lles) tra bo'r claf yn deall manteision y broses, er mwyn osgoi trafferthion yn y dyfodol. Ei fwriad sylfaenol yw cynnal gallu'r claf i barhau'n annibynnol a diogel yn ei gartref ei hun lle bo hynny'n bosibl.

Mae Dr Obeid yn credu bod angen llawer mwy o waith i roi blaenoriaeth i godi ymwybyddiaeth ac addysgu cymunedau ynghylch sylwi cynnar ac ymyrraeth gynnar er mwyn cefnogi pob claf a'i ofalwr.

* * *

7 'Hel atgofion'

Prydwen Elfed-Owens a Kathy Barnham

Dros gyfnod o amser, deuthum yn ymwybodol o werth ffotograffau i helpu rhai â dementia i gofio'n ôl. Pwysleisiwyd effeithiolrwydd y math hwn o strategaeth unwaith eto ar y cwrs ar gyfer gofalwyr a fynychais gyda NEWCIS.

Felly es ati i lunio sawl albwm i'm gŵr yn cynnwys amrediad o ffotograffau yn ymwneud â gwahanol adegau yn ei fywyd. Canolbwyntiais yn bennaf ar ddyddiau ei fagwraeth yn Henllan a'r Groeslon a'i deulu agos, ei amser yn y rhyfel a'i yrfa fel uwch nyrs mewn theatrau ysbytai. Gan ei fod ugain mlynedd yn hŷn na mi, roedd 'na lawer merch yn ei fywyd cyn i ni briodi. Penderfynais gynnwys rai o'r rhain, ynghyd â lluniau ohono yn ei lifrau Llynges ei Fawrhydi yn ystod yr Ail

Ryfel Byd – *'All the girls love a sailor!'* Er hynny, ni ddangosodd fawr o ddiddordeb yn f'ymdrechion – yn fy ngŵydd i, o leiaf.

Fodd bynnag, cefais wybod gan y rheolwr iddo, yn ystod cyfnod clo Covid-19, gludo'r albwm i'r lolfa a sôn wrth ei gyd-breswylwyr am ddigwyddiadau nad oedd yn ei natur i'w trafod yn gyhoeddus. Roedd y rhain yn cynnwys achlysuron megis cael ei wrthod gan ei fam pan oedd yn blentyn bychan a bod ei dad wedi diflannu o'u bywyd yn gyfan gwbl. Gorfu i'w fodrybedd ei fagu. Rhannodd ymhellach ei brofiadau o'i gyfnod yn y rhyfel a'i amser erchyll fel morwr llongau tanfor. Cafodd ei garcharu gan y Siapaneaid ac yntau ond yn ddeunaw oed ar y pryd. Roedd hyn yn gam enfawr ymlaen yn ei ddatblygiad gan na fyddai fyth yn datgelu rhai o ysbrydion ei orffennol na rhannu ei deimladau.

Felly, wedi'r cwbl cafodd f'ymdrechion lwyddiant.

Mewn sgwrs gyda chadeirydd Grŵp Dementia Dinbych, cymeradwyodd arbenigwraig yn y math hwn o strategaeth i gyfrannu i'r gyfrol hon.

Kathy Barnham, Cyfarwyddwraig *Book of You*

Yn 2016, aeth fy mam i aros dros dro mewn cartref gofal yn dilyn arhosiad wyth niwrnod yn yr ysbyty. Fe'i cymerwyd i'r ysbyty oherwydd haint yn y gwaed oedd hefyd wedi achosi dryswch meddwl. Unwaith i'r haint glirio, aeth i gartref preswyl gyda'r bwriad o aros mewn lle diogel i wella o'r dryswch meddwl cyn dychwelyd adref. Fodd bynnag, dewisodd aros yn y cartref gofal yn barhaol a gwerthwyd ei thŷ.

Bu Mam yn ymdrechu ers peth amser i fyw'n annibynnol. Rhoddai'r argraff ei bod yn llwyddo at ei gilydd i wneud y rhan fwyaf o'i thasgau dyddiol. Fodd bynnag, dioddefai fwyfwy o byliau o arswyd. Yn ogystal, byddai'n obsesu am ei hallweddi. Dechreusom sylwi nad oedd pethau mor daclus ag yr arferent fod. Unwaith neu ddwy, wedi iddi goginio pryd i ni, byddai rhywbeth o'i le – fel pe bai wedi anghofio sut i goginio.

Am i mi weithio ar brosiect *Book of You** am sawl blwyddyn, adwaenwn arwyddion clir o ddementia er nad oedd gweddill y teulu mor sicr. Nid oedd llawer o amser wedi mynd heibio ers i'w phartner farw o ganser ac roedd yn ymddangos i bawb arall mai dyna oedd yn bod. Cafodd ei thrin, felly, am iselder.

Kathy Barnham a'i mam

Oherwydd fy mod yn byw awr o siwrne oddi wrth Mam (hi yn Lloegr a minnau yng Nghymru), roedd yn rhyddhad i mi pan benderfynodd aros yn y cartref gofal. Roedd wedi bod yn anodd imi geisio rheoli ei phyliau arswyd o ben arall y teliffon ddydd a nos. Pan fyddem yn ymweld â hi, byddai wedi cynhyrfu, yn ffwndrus ac yn ofidus. Mewn geiriau eraill, roedd ceisio cynnal swydd lawn-amser tra hefyd yn ceisio gofalu am Mam yn dasg a hanner.

Ond yn y cartref gofal, roedd gan Mam bobl i siarad â hwy ddydd a nos pan fyddai wedi cynhyrfu neu mewn panig. Roedd yn falch o gael pobl o'i chwmpas i'w helpu, i'w chalonogi ac i goginio iddi. Gallai barhau i ddod allan am dro bach gyda ni. Byddem hefyd yn mwynhau ymweld â pherthnasau ac ambell gaffi, a cherdded yn y parc.

Bu Mam yn hoff o gerdded erioed ac, wedi cyrraedd bron i 90 mlwydd oed, roedd yn parhau i hoffi gwneud hynny. Roedd fy ngŵr a'm meibion a mi yn galw i'w gweld yn ddi-ffael bob wythnos. Byddem bob amser yn gwneud rhywbeth neis gyda'n gilydd. Ymddangosai'n hapus. Ymlaciai fwyfwy a gwnaeth gysylltiad agos â'r staff a'i chyd-breswylwyr. Dychwelodd ei hen bersonoliaeth hwyliog.

Felly pan dderbyniwyd diagnosis o ddementia'r flwyddyn wedyn, ni fu'n syndod i mi nac yn broblem. Roedd Mam wedi setlo'n ddiogel a

114

hapus yn y cartref gofal ac roedd popeth yn ei le i'n galluogi i'w chefnogi i fyw bywyd o ansawdd da.

Fel yr âi'r amser yn ei flaen, dychwelodd Mam i'w phlentyndod pan oedd yn wyth i ddeng mlwydd oed. Ambell dro, byddai'n ugain mlwydd oed, yn rhannu â ni cymaint roedd hi'n addoli ei thad. Dro arall, byddai'n siarad am ei chyd-ddisgyblion yn yr ysgol a'i chydweithwyr.

'Gartref' iddi hi oedd cartref fy nhaid a'm nain, nid cartref fy mhlentyndod i. Yn aml, byddai'n holi a oeddwn yn cofio pobl oedd wedi marw cyn i mi gael fy ngeni. Serch hynny, roedd yn parhau i wybod pwy oeddem ni. Roedd ei syniad o amser wedi mynd yn llwyr ond byddem bob amser yn ymuno yn ei realiti hi. Rhaid i mi gyfaddef fy mod wedi canfod sawl stori ddiddorol am fy mherthnasau a'm hynafiaid!

Dechreuais dynnu ar fy mhrofiad o weithio ar brosiect *Book of You*. Math o lyfr aml-gyfrwng yw hwn sy'n creu hanes bywyd trwy ddefnyddio geiriau, lluniau a ffilm. Byddwn yn ychwanegu pethau at *Book of You* personol Mam a'i lenwi â phob math o bethau i hybu ei mwynhad. Cynhwysai luniau o amrywiol ddegawdau, gyda labeli, hen ffilmiau'r cartref o'r 1950au, yr 1960au a'r 1970au, fideos YouTube o'i hoff gantorion ac o dref ei phlentyndod yn yr 1940au a'r 1950au. Yn wir, datblygais i fod yn dditectif atgofion heb ei ail! Rhoddais bethau newydd yn y llyfr hefyd, er mwyn rhoi procied bach i'r cof, iddi gael cofio ein tripiau allan. Dyma ffordd werth chweil o gadw Mam yn hapus a chadw ei thraed ar y ddaear.

Yn ystod pandemig Covid-19 2020, newidiodd popeth gan nad oeddwn yn medru ymweld â hi. Yn ystod y naw wythnos gyntaf, ni fedrwn ychwaith deithio i'w gweld gan ein bod mewn gwledydd gwahanol heb hawl i groesi'r ffin. Yna, cefais drafodaeth â Heddlu Gogledd Cymru a chefais ganiatâd i groesi'r ffin i gael cyfarfodydd â Mam trwy'r ffenestr. Yn fwy diweddar, cawsom ymweliadau gardd o bellter diogel.

Nid oedd Facetime yn gweithio'n dda iawn rhwng ymweliadau gan na allai Mam ddeall beth oedd yn digwydd. Ni fu sgyrsiau teliffon yn bosibl ers blynyddoedd lawer. Fodd bynnag, gallem adael negeseuon llafar ac ar ffilm yn ei *Book of You*. Gallai'r staff edrych ar y llyfr gyda Mam a siarad am amrywiol bethau.

Mantais hyn yw y gellir chwarae'r ffilmiau a'r negeseuon dro ar ôl tro, iddynt ddod yn gyfarwydd ac yn rhan o stori bywyd y person hwnnw.

Mantais arall yw bod modd recordio neges lafar i gyd-fynd â llun cyfarwydd, er mwyn gwneud mwy o synnwyr i'r person. Adroddodd staff y cartref preswyl fod Mam yn hapus. Gallent hefyd rannu'r pethau yr oedd hi wedi eu mwynhau fwyaf. Rhwng cael *Book of You* fel dolen gyswllt ac ymweliadau diogel bob pythefnos, bu'n haws i'r ddwy ohonom fedru goddef cyfnod clo Covid-19 yn rhyfeddol.

Defnyddiwyd *Book of You* mewn ffyrdd amrywiol gan nifer o bobl yn ystod y pandemig. Er enghraifft, fe'i defnyddiwyd gan rai o gartrefi'r Methodistiaid i gysylltu ag ailgysylltu teuluoedd wrth i'r cyfnod clo lacio. Yn nyddiau cynnar y clo, bu nifer o'r henoed (gan gynnwys rhai'n byw â dementia) yn hunan-ynysu am wythnosau. Defnyddiwyd *Book of You* fel gweithgaredd i'w fwynhau pan nad oedd modd mynd allan i ymweld â theulu a ffrindiau. Clywsom nifer o storïau positif o'r fath.

Wrth reswm, ni fydd dim cystal â chyfarfod wyneb yn wyneb, ac mae'n rhaid parhau i bwyso ar y llywodraeth i fynnu arweiniad call i sicrhau eu bod yn cofio'r rhai sy'n byw â dementia. Nid yw'n dderbyniol bod dirywiad meddyliol sylweddol yn digwydd wrth ddiogelu iechyd corfforol. Dylid gweld aelodau teuluol fel gweithwyr allweddol ar adegau fel hyn. Mae perthynas deuluol yn hanfodol i iechyd pobl. Nid oes ail gyfle yn achos dementia. Ni fedrwn atal y dirywiad.

Fodd bynnag, trwy weithgarwch yn gysylltiedig â hanes bywyd, fel *Book of You*, sy'n canolbwyntio ar yr hyn y gall person ei wneud a'i gofio, gallwn wneud bywyd cyn hawsed â phosibl yn ystod cyfnod mor ddyrys.

* Mae 'Book of You CIC' yn gwmni sydd wedi ei leoli yng Ngogledd Cymru, ond sy'n gweithio ar draws y Deyrnas Gyfunol. Kathy Barham yw cyfarwyddwraig y prosiect. Er 2014 defnyddiwyd ap yn seiliedig ar y we i alluogi pobl i greu eu llyfr stori bywyd personol ac aml-gyfrwng eu hunain. Ceir pum templed. Fe'i defnyddir yn bennaf gyda'r rhai sy'n byw â dementia.

Manylion cyswllt
07719 839797
www.bookofyou.co.uk
info@bookofyou.co.uk
https://www.facebook.com/bookofyou
https://twitter.com/bookofyou

Enillydd Gwobrau Busnes Cymdeithasol Cymru 2017 – categori Technoleg er Budd

Terfynydd Gwobrau Busnes Cymdeithasol Cymru 2017 – Menter Gymdeithasol y Flwyddyn

Terfynydd Gwobrau Busnes y Daily Post 2015

*   *   *

8 Gwion Hallam, 'Awen Dementia'

Bardd Coronog, Eisteddfod Genedlaethol Ynys Môn, 2017

Cofiaf ddarllen erthygl mewn cylchgrawn merched – eto yn y siop trin gwallt – gan gyfarwyddwraig newydd Cartrefi Gofal BUPA*. Pwyslais ei neges oedd blaenoriaethu amser teilwng i sgwrsio â'r henoed, ac yn enwedig i wrando arnynt – rhywbeth a oedd, yn ei thyb hi, yn mynd ar goll ymysg yr holl dasgau yn ymwneud â gofal.

Llun gan Arwyn 'Herald'

Gwion Hallam

Wrth ymweld â'm gŵr bob dydd, ni allaf beidio â sylwi ar ymroddiad a phrysurdeb anhygoel y staff. Mae i bob shifft dasgau penodol ac amser tyn iawn i'w cwblhau. Fodd bynnag, prin iawn yw'r amser i ymgomio â'r preswylwyr. Yn aml, caf alwad ffôn ganddo yn ystod y dydd yn dweud, 'Jyst galwad sydyn i glywed dy lais.'

Weithiau, yn ystod f'ymweliadau â'r lolfa yn y cartref gofal, bydd tipyn o awyrgylch yno yn dilyn ffrwydrad parthed lleoliad bwrdd neu'n dilyn rhyw air siarp. Cofiaf ofyn un tro, pan sylwais ar wep drist un o'r preswylwyr:

'Ydach chi'n iawn?'

'Nag ydw.'

'O diar, efo pwy fyddwch chi'n siarad bryd hynny, tybed?'

'Neb. Mae pawb mor brysur, mi ddo' i drosto fo toc. *It's just one of those things.*'

Felly, does ryfedd imi uniaethu'n syth â neges gref pryddest lwyddiannus Gwion Hallam, 'Trwy Ddrych'. Mae arnom i gyd angen clust ac amser i rannu ein hatgofion, ein pryderon a'n gobeithion, i wybod ein bod yn cyfri'. Pan fydd cyfnod clo Covid-19 drosodd, efallai y gallem, bob un ohonom, gynnig slot rheolaidd i greu perthynas ag unigolyn mewn cartrefi preswyl sy'n cael gofal ardderchog – ond nid clust.

Yn wreiddiol o Rydaman, mae Gwion Hallam yn byw yn y Felinheli gydag Eleri, ei wraig, a'u pedwar mab: Noa, Moi, Twm a Nedw. Yn sgwennwr ac yn gynhyrchydd teledu, mae newydd gyhoeddi *Adnabod*, ei nofel gyntaf i oedolion. Cyhoeddodd nifer o gyfrolau rhyddiaith a barddoniaeth i blant a phobl ifainc ac fe enillodd ei nofel, *Creadyn*, un o wobrau Tir na n-Óg yn 2006. Yn 2017, enillodd Goron Eisteddfod Genedlaethol Ynys Môn gyda'i bryddest 'Trwy Ddrych', cerdd a ddeilliodd o gyfnod o weithio gyda phobl yn byw â dementia.

Dywed Gwion:

> Beth amser yn ôl fe ges i'r fraint o dreulio amser mewn dau gartref gofal er mwyn gweithio fel bardd gyda phobl sy'n byw â dementia. Roedd yn brofiad heriol ond cyfoethog iawn. Mae fy niolch yn fawr i Lenyddiaeth Cymru am y cyfle. Mae fy niolch yn fwy fyth i'r ddau gartref gofal a'r trigolion y ces i weithio gyda nhw.
>
> Wrth dderbyn y gwaith, ro'n i'n ansicr a nerfus. Y gwir amdani oedd nad o'n i erioed wedi cyfarfod â neb oedd yn byw â dementia heb sôn am drio barddoni gyda nhw. Cefais bob cefnogaeth gan Gwen Lasarus yn Llenyddiaeth Cymru. Ces fynd ar benwythnos i Ganolfan Ysgrifennu Tŷ Newydd i wrando ar brofiadau'r bardd John Killick, fu'n treulio blynyddoedd yn barddoni gyda chleifion dementia. Wrth wrando ar John, mi ddaeth yn amlwg mai gwrando y byddwn i hefyd yn bennaf. Gwrando a sgwrsio, gan ddod i adnabod y trigolion heb boeni am farddoni i ddechrau. Nid barddoni

fyddai fy ngwaith i o gwbl ond cofnodi a golygu'r farddoniaeth naturiol a fyddai'n codi o sgwrs y trigolion.

Cyfaddefodd Gwion nad oedd yn rhy obeithiol ar y dechrau.

I mi roedd barddoniaeth yn rhywbeth mwy 'anodd'. Yn gofyn am drefn ac am strwythur a disgyblaeth reit lem ac am afael arbennig ar iaith. Ac mae 'na wirionedd yn hynny, wrth gwrs. Ond mae barddoni hefyd – efallai'n fwy nag unrhyw fath arall o 'sgwennu' – yn ymwneud â rhythmau ein symud a'n byw. Rhywbeth i'r glust yw barddoniaeth yn bennaf, wrth gwrs, a rhywbeth sy'n deillio o fannau gwahanol i'r meddwl a'r rheswm yn unig. Nid gafael ar iaith yw barddoni yn unig ond bod yn barod i chwarae â syniadau a sŵn, gan ollwng ar yr ofnau a'r rhagfarnau sy'n ein dal yn ôl rhag creu a mentro fel oedolion. Fy rhagfarn i oedd credu na fyddai cleifion dementia yn gallu creu cerddi o gwbl. Y byddai salwch sydd mor ddinistriol o ran y gallu i gyfathrebu yn gwneud barddoni fwy neu lai'n amhosib.

Cefais fy mhrofi'n gwbl anghywir. Gwnaeth yr wythnosau o wrando ar farddoniaeth y cleifion fy ysbrydoli'n llwyr a'm harwain yn y diwedd i sgwennu'r bryddest 'Trwy Ddrych' am y profiad. Fel y bardd dychmygol yn y bryddest, roedd yn rhaid i mi hefyd newid fy marn. Yn y gerdd, mae'r bardd sy'n ymweld â Lili yn meddwl i ddechrau mai trio 'achub ei hiaith' fydd ei waith; mai trio trwsio'r craciau yn ei chof fydd yr her trwy farddoni a sgwrsio â hi. Ond na, dim o gwbl. Barddoniaeth Lili fyddai'r sgwrs a oedd ganddi yn awr, sut bynnag yr oedd hwnnw am ffrwydro i'r wyneb. A dyna oedd fy mhrofiad i hefyd o fynd i'r cartrefi gofal.

O achos y dementia, yr unig beth y gallwn i hefyd fel bardd ei wneud oedd cofnodi'r hyn oedd gan y trigolion i'w ddweud. Nid eu gwthio. Nid eu harwain fel y cyfryw chwaith. Dim ond creu'r amodau cywir ac iach a hollol gartrefol i sgwrsio a gwrando – ac, efallai, i greu barddoniaeth. A dyna a ddigwyddodd. Nid bob tro, ond yn aml iawn. Wrth adlewyrchu'r sgwrs, er mor ddarniog weithiau ac er yn ddryslyd ar adegau, roedd 'na ddelweddau a syniadau trawiadol yn dod, a synau a rhythmau cry'. Oedd, mi oedd 'na farddoniaeth yn digwydd.

Yn y bryddest, ceisiaf ddisgrifio hyn fel 'awen dementia'. Mae'n ddisgrifiad trawiadol, efallai, ond yn un y gellid ei gamddehongli'n hawdd fel un gwamal, neu hyd yn oed yn amharchus o'r cyflwr.

Os ystyr awen i ni yw rhyw ysbryd creadigol, rhyw sbarc o greadigrwydd ac eglurder, onid yw'n wir fod dementia yn bopeth ond hynny? Diffodd eglurder y mae dementia yn ei wneud. Chwalu'r llwybrau yn y meddwl sy'n ein galluogi i wneud synnwyr o bethau ac adnabod y byd. Ac i'r teulu agosaf – i'r gofalwyr sy'n aml yn deulu eu hunain – mae profi hynny'n ofnadwy o anodd. Digon hawdd i ryw fardd sydd heb brofiad o'r peth sôn am awen a chreadigrwydd dementia.

Gan dderbyn a gwerthfawrogi hynny'n iawn, cafodd Gwion y fraint o gofnodi sgyrsiau'r cleifion hyn a gweld bod yna farddoniaeth ynddynt.

Wrth wrando ar Elwyn neu Janet neu Jiws, cael gweld bod yna awen a sbarc yn y sgwrs o hyd. Yn anfwriadol yn aml. Yn fwriadol iawn weithiau, bod yna greadigrwydd a gwreiddioldeb mawr yn eu geiriau. Bod y rhai sy'n brwydro i fyw â dementia yn bobl greadigol o hyd.

Cymerwch gerdd gan **Anni**. Nid oedd fawr o sgwrs ganddi. Ond pan fyddai hi'n siarad, mi fyddai'n lliwgar a gonest. Roedd yn gwisgo côt weu wlân pan lefarodd hi'r gerdd yma, ond yn mynnu nad y hi oedd wedi ei gwneud.

Altro

Nid y fi sy' wedi gweu hon.
Nid fi.
Ond mae wedi ei haltro.

Ac mae fama 'di altro
am byth.

Ond be ydach chi'n gwneud?
Hel pres ydach chi, ia?
Ond be ydach chi?
Be? I bwy?

Poetry? I be?
Poor? Fel fi?

I bobol sy'n dlawd fatha fi?

Geiriau Anni yw'r uchod i gyd. Dim ond trefnu'r geiriau ar y papur wnes i. Yn wahanol i'r gôt weu wlân, hi'n bendant sydd wedi 'gweu' y gerdd. Ac mae'r cyfoeth sydd yn y geiriau yn amlwg.

Neu beth am y rhain gan **Efan**?

Rhoi yr arfa' i lawr

Yn y sied o'n i'n hollti a naddu –
hollti a'u cyfri nhw fesul y cant.
Un dyn yn hollti,
un arall yn naddu,
a gwaith lli hefyd weithiau.

Ond yng nghanol y dyddiau, dyma law
ar fy ysgwydd – 'gadwch hi rŵan
a rhowch yr arfa' i lawr.'

A dyma wrando ar y llaw
a rhoi'r arfa yn y ces
a'i gau.

Sna'm byd ar yr hen delefision yma ...

Cerdd syml ac uniongyrchol. Ar un llaw, does na'm byd iddi. Ac eto mae'n dweud popeth. Yn dal eiliad a wnaeth newid ei holl fywyd. Rhoi arfau'r chwarelwr i'w cadw am byth. Ac arfau, nid twls. Fel petai bywyd yn frwydr barhaol yn erbyn y graig. All y teledu fyth lenwi'r bwlch yna. Mae yna rythmau ac odlau cry' ynddi hefyd – barddoniaeth a cherddoriaeth i'r sgwrs.

Fel sy'n amlwg yn y gerdd olaf yma gan **Janet**. Mae'r iaith eto'n syml ac yn llafar iawn. Ond i mi dyna un o'i chryfderau. Mae yna ailadrodd a rhythmau a chyflythrennu naturiol sy'n gwthio'r gerdd a'r darllenydd ymlaen ar y daith yma i Ynys Enlli.

I Enlli

Amser braf,
dim isho cloc –
cael deffro hefo'r haul.
A mynd i lawr at ddŵr
y ffynnon oer,
mor oer.

Amser braf,
dim isho cloc –
y nos sy'n dod i mewn
wrth wylio'r pysgod
yn y môr yn jympio.

Ac mae digon o fecryll
a physgod yn ffrio
a rhai fel fflat fish
yn lyfli. A dim angen
popty – tynnu'r asgwrn
a'i rolio i fyny fel sosej
i'w gwcio fo'n syth
ar y tân.

Mae'n rhaid i chi fynd
tra y medrwch chi fynd
does nunlla 'run fath
ac mae amser yn braf
a'r ffynnon yn oerach
na ffridj.

Ond bydd rhaid i chi fynd.
Mae'n werth i chi fynd.
A mynd yno i aros –

i Enlli.

Mae yna dros dair blynedd bellach ers i Janet rannu ei cherdd ar ôl deall nad oedd Gwion wedi bod ar yr ynys a oedd mor fyw iddi hi.

Yr wythnos ddiwethaf, o'r diwedd, mi wnes i wrando ar ei gorchymyn a mynd gyda'r teulu i Enlli! Welais i ddim pysgod yn jympio, na llwyddo i ffeindio ffynnon a oedd yn oer fel ffridj. Ond mi wnes i brofi'r amser braf a hudolus, a phrofi fel Janet nad oes unman yn debyg i Enlli. Ac yn fwy gwerthfawr na dim, mi ges i ddarllen ei cherdd i'r ychydig deuluoedd a oedd wedi croesi i'r ynys hefyd.

Ym marn Gwion un o'r pethau gorau, a phwysicaf efallai, i'w wneud â'r cerddi a greodd y trigolion, o gael eu caniatâd a chefnogaeth y teulu, yw eu darllen a'u rhannu ag eraill.

Cael dathlu a chyhoeddi eu creadigrwydd o hyd. Ein creadigrwydd gwaelodol fel pobl. Dweud nad oes dim sydd am ddiffodd yr awen. Bod geiriau yn aros ar ôl i ni fynd. Ai dyna pam y mae beirdd yn barddoni?

* BUPA: The British United Provident Association

9 'Sain, cerdd a chân'
Prydwen Elfed-Owens a Catrin Hedd Jones

Ychydig yn ôl, darllenais erthygl am Americanes o'r enw Christine Bryden. A hithau ond yn ddeugain oed, derbyniodd ddiagnosis bod ganddi ddementia. Bu'n brwydro'n ddiflino ers hynny i sicrhau llais i'r rhai sy'n byw gyda'r cyflwr. Dyma'r geiriau a rannodd mewn cynhadledd ryngwladol yn ddiweddar: geiriau sy'n cyffwrdd fy enaid a rhai y gallaf uniaethu â nhw. Dyma apêl ddiffuant Christine Bryden:

Rwy'n colli gafael arnaf fy hun mewn byd sy'n fy niffinio yn ôl beth a wnaf a beth a ddywedaf yn hytrach na phwy ydw i. Rŵan, rwy'n ailgydio ynof fi, y person hwnnw a grëwyd gan Dduw. Rwy'n agosáu at fy Nuw wrth droedio'r llwybr anodd hwn ac rwy'n erfyn

Trebor Edwards yn ymweld â'r cartref gofal

arnoch i deithio gyda mi, beth bynnag a ddaw. Derbyniwch fi fel yr wyf ac fel y byddaf ar fy ngwaethaf. Rwyf angen eich cefnogaeth lwyr: chi fydd fy nghof. Rwyf angen i'ch cariad dreiddio i fy enaid fel y gallaf deithio'n gryfach ar fy nhaith. Rwyf angen i chi fy nghysuro a'm cyffwrdd a chanu a gweddïo gyda mi, hyd yn oed pan fyddwch yn meddwl nad wyf yn ymwybodol o'ch presenoldeb. Drwy hyn, byddwch yn cysylltu â'm henaid a thrwy eich cariad chi byddaf yn teimlo presenoldeb Duw.

Dyna eiriau a all gynnig arweiniad a gobaith i ni oll ar ein taith. Yn wir, fe ysgogodd ei geiriau imi gynnal gwasanaethau, canu emynau a chwtsio pawb yn y cartref gofal lle mae fy ngŵr yn preswylio. Mae eu mwynhad yn llonni fy nghalon.

Yn wir, datblygodd y gwasanaeth i fod yn fath o *'Family Favourites'*. Byddai'r preswylwyr ('y criw') yn nodi eu hoff emyn-donau, fel 'Calon Lân' neu 'Gwm Rhondda'. Byddent yn mynd ati'n rheolaidd a ffyddlon dan arweiniad Sheila (un o'r preswylwyr) yn ystod yr wythnos i lunio rhestr o'u hoff emynau a chaneuon poblogaidd. Fy her i oedd cael hyd i'r

124

recordiad, teipio'r geiriau a llunio rhaglen fechan er mwyn i bawb ymuno ar y Sul. Ychwanegwn weddi, darn o farddoniaeth a stori ddoniol. Roeddent wrth eu boddau â'm straeon am blant ysgol. Cododd y fenter fach hon dipyn o stêm i greu Côr y Lolfa a cheisiadau am ganeuon a pherfformwyr poblogaidd fel Rhys Meirion, David Lloyd ... a Trebor Edwards. Roedd yn amlwg erbyn hyn mai'r ffefryn oedd Trebor Edwards a'i ddwy gân 'Un dydd ar y tro' ac 'Os gallaf helpu rhywun ar fy nhaith drwy'r byd, nid yn ofer y bydd imi fyw'. Roedd dod o hyd i bob un o'u dewisiadau yn fy llyfrgell fechan bersonol yn fy stydi gartref yn amhosibl! Rhaid oedd ymofyn cymorth. Felly fe es i lygad ffynnon y byd recordio Cymraeg – Cwmni Sain.

Eglurais wrth Dafydd Roberts, cyfarwyddwr y cwmni, beth oedd fy her a pham yn union yr oeddwn ar helfa recordiau. Gwaetha'r modd, doedd ganddo'r un recordiad o Trebor mewn stoc mwyach. Yn sgil fy siom, gofynnodd i mi a oeddwn yn ymwybodol o waith yr Adran Dementia ym Mhrifysgol Bangor. Dywedodd wrthyf fod Cwmni Sain yn cydweithio â'r Adran i gynhyrchu cryno-ddisg, 'Cân i Gân' – sef casgliad o ganeuon Cymraeg i'w mwynhau gyda phobl sydd yn byw â dementia.

Diolchais iddo am yr wybodaeth a chysylltais â Catrin Hedd, arweinydd y prosiect, i geisio trefnu cyfarfod wyneb yn wyneb. Canlyniad hynny fu i mi dderbyn gwybodaeth amhrisiadwy am waith yr Adran a'r deunydd ymarferol sydd ar gael i ofalwyr a phobl â dementia. Ni wyddwn am eu bodolaeth. Felly penderfynais neilltuo lle iddynt yn y gyfrol hon.

Cefais hyd i'r cryno-ddisg yn y diwedd. Yn teimlo'n fodlon iawn â mi fy hun, gyda sgip a hop a naid penderfynais fynd i lygad y ffynnon eto. Y tro hwn, euthum at yr artist ei hunan: ffoniais Trebor, gan imi ei adnabod fel Swyddog Addysg Dinmael, Margaret Edwards, y pennaeth. Deuem ar draws ein gilydd yn aml yn sgil gweithgareddau'r Eisteddfod Genedlaethol.

Nid yn aml y byddaf yn fy nghael fy hun heb rywbeth i'w ddweud, ond gadawodd ymateb Trebor fi'n llawn cyffro, yn hynod emosiynol ac yn ddagreuol. Cytunodd i ddod i'r cartref gofal a pherfformio'n bersonol i'r criw. A dyma oedd fy anrheg Nadolig i Gôr y Lolfa'r flwyddyn honno! Yr un pryd, perswadiais fy nghymydog drws nesaf, David, i ymuno yn y fenter ac i wisgo fel Siôn Corn ac ymweld â'r cartref gyda'i sach yn llawn anrhegion. Hysbysais y cartref y byddai'r Sul canlynol yn un arbennig, Gofynnais iddynt wneud ymdrech fawr i edrych yn *smart* erbyn hanner awr wedi dau. Ni ddywedais air am bwy oedd y gwestai. Dyna fyddai'r sypreis.

Am hanner awr wedi dau, a phawb yn eistedd yn eiddgar yn y lolfa, fi oedd y *DJ* yn ôl f'arfer. Rhoddais *Jingle Bells* yn uchel a myn diain i, pwy wnaeth fynediad dramatig ond ... Siôn Corn. Wel, sôn am gyffro a chynnwrf a hwyl wrth ddosbarthu'r anrhegion!

Pan oedd pawb wedi tawelu, daeth amser i Gôr y Lolfa ganu eu hoff gân, 'Un dydd ar y tro'. Pwysais y botwm a dechreusant ganu nerth eu pennau. Fel roeddent yn ei morio hi, chwyddodd y canu fwyfwy wrth i rywun arall ymuno yn y canu ... a phwy gerddodd i mewn, yn canu dros y lle, ond ... TREBOR EDWARDS! Cawsom oll brynhawn emosiynol a hynod gofiadwy, diolch i Trebor. Roedd hyn yn tystio faint o fudd sy'n dod i rai â dementia a'u gofalwyr wrth wrando ar gerddoriaeth o'u dewis eu hunain.

* * *

'Cynyddu dealltwriaeth drwy adnoddau'

Catrin Hedd Jones, Darlithydd mewn Astudiaethau Dementia, Prifysgol Bangor

Bûm yn gweithio ym Mhrifysgol Bangor er 2012. Yn dilyn cyfnod fel ymchwilydd, cefais swydd fel Darlithydd mewn Astudiaethau Dementia yn yr Ysgol Gwyddorau Iechyd. Yn ogystal â chefnogi myfyrwyr yn y Brifysgol, rwy'n darparu hyfforddiant i arolygwyr ac ymarferwyr ar draws Cymru. Rwyf hefyd yn rhan o dîm partneriaeth y Ganolfan Ymchwil Heneiddio a Dementia, sy'n gydweithrediad rhwng Prifysgolion Bangor ac Abertawe.

Catrin Hedd Jones

Wrth gyfeirio at bobl sydd yn byw gyda dementia, byddaf yn cynnwys yr unigolion a dderbyniodd diagnosis a'r rhai sy'n eu cefnogi. Gwnaf hyn oherwydd gwyddom fod yr effeithiau'n gallu newid bywydau sawl person. Mae ein gwaith yn y Ganolfan Ymchwil Heneiddio a Dementia ym Mangor yn digwydd o dan arweiniad yr Athro Bob Woods ac, yn fwy diweddar, yr Athro Gill Windle. Mae'n cynnwys ymchwil sy'n ceisio adnabod y dulliau gorau o roi cefnogaeth i'r rhai sy'n byw gyda dementia.

Mae gwaith Tom Kitwood **yn cydnabod y pwysigrwydd o flaenoriaethu'r person** yn hytrach na'r salwch.[1] Mae hyn wedi dylanwadu ar y meddylfryd o ddarparu gofal sy'n canolbwyntio ar yr unigolyn (*person-centered care*). Rydym yn gwybod bellach fod angen adnabod a diwallu anghenion seicolegol, cymdeithasol a diwylliannol er mwyn sicrhau gwell ansawdd bywyd a chynnal urddas yr unigolyn.

Daeth ymchwilwyr[2] i'r casgliad y dylem ganolbwyntio ar feithrin y berthynas rhwng y gofalwyr a'r person sydd ag angen gofal, er mwyn sicrhau'r amgylchedd orau i bawb. Cewch lawer rhagor o gyngor a gwybodaeth yn y gyfres o lyfrau ar ddementia sy'n rhan o'r cynllun Llyfrau ar Bresgripsiwn sydd ar gael drwy ein llyfrgelloedd.[3]

Yn 2016, cyhoeddwyd astudiaeth oedd yn **cymharu canlyniadau profion clinig cof** ymysg grwpiau o drigolion uniaith Saesneg a Chymry dwyieithog. Roedd y siaradwyr Cymraeg ar gyfartaledd dair blynedd yn hŷn cyn ceisio'r gwasanaeth ac roedd eu symptomau'n fwy dwys. Mae hynny' n amlwg yn bryder cyffredinol, a chefais gyfle i ymgynghori ag ymarferwyr, a'u holi pam, yn eu tyb hwy, fod hyn yn digwydd.[4] Daethpwyd i'r casgliad fod yna elfen o stigma yn atal rhai pobl rhag chwilio am gefnogaeth. Er bod 'Cynnig Rhagweithiol' Llywodraeth Cymru yn gwarchod ein hawl i dderbyn unrhyw brofion, gofal a phob cefnogaeth yn ein mamiaith, yn anffodus mae cryn dipyn o le i wella er mwyn sicrhau hynny ledled Cymru. Roedd adroddiad gan y Gymdeithas Alzheimer's a Chomisiynydd yr Iaith yn atgyfnerthu hyn,[5] gan bwysleisio'r pwysigrwydd o dderbyn **gofal yn yr iaith sydd yn naturiol i'w defnyddio**.

Datblygwyd sawl adnodd yn uniongyrchol o waith ymchwil ym Mangor[6] a'r Ganolfan Ymchwil Heneiddio a Dementia (CADR)[7] yng Nghymru. Cefais y pleser o gydweithio â Merched y Wawr i gynyddu ymwybyddiaeth ac adnoddau. (Cewch fynediad iddynt ar ein gwefan o dan 'Cynhyrchion a grëwyd o'n hymchwil i chi'.[8]) Rydym wedi cyhoeddi cyfieithiadau o boster 'Deg Arwydd o Ddementia' a llawlyfr sy'n trafod heriau i'r synhwyrau wrth fyw gyda dementia. Hefyd, darparwyd casgliad o ganeuon, 'Cân y Gân', sydd ar gael ar ffurf cryno-ddisg ac ar y we.[9] Prif nod cyhoeddi'r cryno-ddisg oedd sicrhau bod trigolion mewn cartrefi gofal yn cael mwynhau amrediad o **ganeuon Cymraeg** er mwyn parchu eu hunaniaeth.

Ceir llawer o dystiolaeth i **effaith bositif y celfyddydau** ar fywydau rhai sy'n byw gyda dementia ac mae digon o enghreifftiau o waith da ar lawr gwlad yng Nghymru. Derbyniodd y rhaglen 'cARTrefu' nawdd gan *Age Cymru* i sicrhau cyfleoedd i hyrwyddo creadigrwydd mewn cartrefi gofal. Cynigodd 'Ymgolli mewn Celf'[10] gyfle ers sawl blwyddyn i bobl sy'n byw gyda dementia gwrdd ag eraill a chydweithio â phlant i baratoi arddangosfa gelf. Dangosodd ein hymchwil 'Dementia a'r Dychymyg;[11] fod celf weledol yn fanteisiol i bobl sy'n byw gyda dementia yn y gymuned, mewn ysbytai ac mewn cartrefi gofal. Yn naturiol, mae ystod eang o gelfyddyd sy'n gallu cyffwrdd ag emosiwn, a chawn brawf o hyn yng ngwaith y Prifardd Gwion Hallam.

Bûm yn ffodus i gael y cyfle i gynnal ymchwil ar effaith **pontio'r cenedlaethau**. Roedd y gyfres 'Hen Blant Bach' (S4C) a *'The Toddlers that Took on Dementia'* (BBC Cymru) yn edrych ar y rhyngweithio naturiol rhwng plant o feithrinfeydd lleol a phobl hŷn mewn canolfannau dydd ar draws Cymru. Roedd y manteision yn amlwg iawn mewn cyfnod byr a chewch wybodaeth bellach ar ein gwefan.[12] Yn dilyn adroddiad ar unigrwydd gan Lywodraeth Cymru, gobeithiwn weld rhagor o gyfleoedd i bontio'r cenedlaethau yn ein cymunedau.

Adnodd arall gwerthfawr a gyhoeddwyd yw'r llyfr *Llwybrau'r Cof* gan Elen Wyn Roberts. Mae'n rhoi cyfle i bobl hel atgofion a dechrau sgwrs wrth droedio i'r gorffennol. Mae **hel atgofion** yn rhan bwysig o gefnogi pobl wrth i'w gallu i ddal gafael ar atgofion diweddar ballu. Mae'n cynnig cyfle i ni ddathlu'r hyn y mae pobl wedi ei gyflawni a'i brofi yn ystod eu bywyd. Datblygodd y Llyfrgell Genedlaethol adnoddau ar gyfer therapi cof o dan y cynllun 'Atgof Byw'. Gwaith arall sydd wedi profi'n effeithiol yw Therapi Ysgogi Gwybyddol (CST). Datblygwyd hyn yn wreiddiol ar gyfer grwpiau mewn clinigau ac mae ymchwil yn dangos ei fod yn adnodd defnyddiol. Mae llawlyfrau ar gael drwy Lyfrgelloedd Cymru a chopi digidol ar wefan Prifysgol Bangor.

Sefydlais rwydwaith yn 2016 i annog pawb sy'n ymwneud â dementia i gyfathrebu a chydweithio i sicrhau fod profiadau pobl yn ganolog i'r gwaith sy'n cael ei ddatblygu. Mae'r **rhwydwaith** wedi tyfu i fod yn llwyfan i rannu'r newyddion diweddaraf trwy grwpiau *Facebook* ac rydym yn croesawu aelodau newydd sydd â phrofiad personol neu sy'n gweithio yn y maes yng Nghymru.

Ffrwyth llafur y cyd-drafod hwn yw'r llawlyfr *Mae Pŵer mewn Gwybodaeth* sy'n rhannu'r hyn y mae pobl sy'n byw gyda'r diagnosis wedi ei ddarganfod yn ddefnyddiol. Er y datblygir llawer iawn o adnoddau, weithiau mae **sgwrs** ag eraill sy'n gallu uniaethu yn werthfawr iawn. Mae 'Cyfle am Sgwrs' yn esiampl dda o hyn.

Yn aml iawn mae pobl yn disgrifio dementia fel siwrnai ac, yn bendant, mae llawer rhagor o'r llwybr i'w droedio o ran cynyddu ein dealltwriaeth.

Adnoddau y cyfeirir atynt yn yr ysgrif:

1 Kitwood, T. & Brooker, D. (2019). *Dementia Reconsidered, Revisited: The Person Still Comes First.*

2 Fideo o sgwrs gan Mike Nolan: 'How relationship-centred care can improve patient outcomes' – https://vimeo.com/90987967

3 Rhestr o'r 'Llyfrau ar Brescripsiwn' ar gyfer dementia – https://reading-well.org.uk/books/books-on-prescription/dementia

4 Jones, C. H. (2018). Briff Ymchwil: 'Mynediad trigolion dwyieithog (Cymraeg a Saesneg) i wasanaethau Dementia'. Gwasanaeth Ymchwil Cynulliad Cenedlaethol Cymru (18-017) – https://senedd.wales/ Research%20 Documents/18-017/18-017-Web-Welsh.pdf

5 Adroddiad Gofal Dementia Siaradwyr Cymraeg (2018) – http://www.comisiynyddygymraeg.cymru/English/Publications%20List/A droddiad%20dementia%20a'r%20Gymraeg.pdf

6 Gwefan Heneiddio a Dementia @ Bangor – http://dsdc.bangor.ac.uk/ supporting-people.php.cy

7 Gwefan Canolfan Ymchwil Heneiddio a Dementia (CADR) – http://www.cadr.cymru/cy/index.htm

8 Adnoddau sy'n ffrwyth ein hymchwil ym Mhrifysgol Bangor, gan gynnwys llawlyfrau defnyddiol – http://dsdc.bangor.ac.uk/products-created.php.cy

9 Safle we sy'n rhoi gwybodaeth am 'Cân y Gân' a mynediad i lawrlwytho'r caneuon – http://dsdc.bangor.ac.uk/welsh-music.php.cy

10 Fideo 'Ymgolli mewn Celf' – https://vimeo.com/211008159

11 Fideo am yr ymchwil 'Dementia a'r Dychymyg' – https://youtu.be/tme0vqAj_fg
12 Gwybodaeth am ddigwyddiad yn dathlu manteision Pontio'r Cenedlaethau – http://dsdc.bangor.ac.uk/connecting-generations.php.cy

Manylion cyswllt gwirfoddolwyr sy'n byw â dementia
http://dsdc.bangor.ac.uk/dementia-friendly.php.cy

Rhagor o wybodaeth
Gwybodaeth ar gael gan DEEP; mae rhai taflenni yn Gymraeg
https://www.dementiavoices.org.uk/deepguides/
Cwrs ar-lein deall dementia –
    https://www.utas.edu.au/wicking/understanding-dementia
WHO iSupport: rhaglen i ofalwyr –
    https://www.who.int/mental_health/neurology/dementia/isupport/en/

Manylion cyswllt
Catrin Hedd Jones, 01248-388872/ c.h.jones@bangor.ac.uk/@CatrinHedd
Ysgol Gwyddorau Iechyd, Prifysgol Bangor, Bangor, Gwynedd LL57 2EF

*   *   *

10 'Dewch hen ac ieuanc, dewch!'
Prydwen Elfed-Owens a Ken Hughes

Wrth fynychu sesiynau Gofal Dydd y Waen gyda'm gŵr, a oedd yn mynnu na fyddai'n mynd iddynt heb i minnau fynd hefyd, gofynnwyd imi werthuso un o'u mentrau poblogaidd o gynnal crèche. Dyma gyfle i blant bach a phobl hŷn ddatblygu perthynas a dod i adnabod ei gilydd pan fyddai'r plant yn ymuno â ni yn y prynhawn.

Roedd pawb a oedd yn rhan o'r fenter yn esblygu drwy rannu profiadau a mwynhau cyfathrebu a bod yn agos. Byddai pob un yn cyfri' a phob ymdrech yn cael ei gwerthfawrogi beth bynnag fo'r oed. Cryfder y gweithgareddau oedd eu bod yn ymarferol, rhyngweithiol, creadigol ac amrywiol – gweithgareddau a oedd wedi eu llywio'n benodol i sicrhau cydweithio a chyd-sgwrsio wrth blannu blodau, cynllunio gwisgoedd i

130

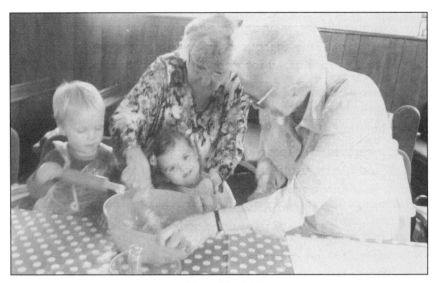

Gofal Dydd y Waen

ddoliau, llunio *collage* pwrpasol gyda help disgyblion ysgol leol, creu pabi unigol ar gyfer arddangosfa yng Nghadeirlan Llanelwy Sul y Cofio, a dathlu pen-blwydd.

Roedd yn eli i'r galon i fod yn rhan o deulu agos sy'n gofalu am ei gilydd, gyda phob un aelod yn cyfri' beth bynnag eu hoed. Eli i'r galon, hefyd, oedd clywed geiriau fy ngŵr yn dilyn un o'r sesiynau hynny, yn enwedig o gofio iddo fod yn gyndyn i adael y tŷ o gwbl:

> 'Dwi'n mwynhau pob munud o fod yma.'
> 'Dwi'n teimlo 'mod i'n cyfri.'
> 'Mae'r plant yn dod i siarad hefo mi; maen nhw'n fy ngharu i.'
> 'Mae gen i hyder yma.'

Dyma effaith bositif iawn ar hunanddelwedd a hunanhyder oedd yn llonni fy nghalon.

Drwy fy ngwaith fel ymgynghorydd ysgolion ac arolygydd arweiniol Estyn ac Ofsted, roedd gennyf brofiad o'r math hwn o ymarfer. Er bod ysgolion yn ystyried hyn yn brofiad gwerthfawr, i mi fel arolygydd, y gwendid yn aml oedd mai profiad achlysurol ydoedd. Doedd dim digon o strwythur a chysondeb i'r profiad allu dylanwadu'n effeithiol a mesuradwy i roi cyfle i blant ac oedolion ddatblygu perthynas.

Roeddwn yn gwbl ffyddiog y byddai'r fenter hon yn llwyddo yn y Waen oherwydd arweinyddiaeth bendant, gweledigaeth, ymroddiad a threfniadaeth ymarferol Gofal Dydd y Waen.

Nid rhyfedd, felly, imi uniaethu â phrofiadau Ken wrth iddo weithio gyda phobl hŷn a phlant bach i greu Drama'r Geni ar gyfer y rhaglen deledu 'Hen Blant Bach'.

Ken Hughes, Cyfarwyddwr Drama Geni 'Hen Blant Bach'

Ganed Ken Hughes yn Llanllyfni, Dyffryn Nantlle, yn 1948 yn un o ddau o feibion Nesta a Clifford. Bu farw ei dad pan oedd yn flwydd oed. Cafodd ei addysg yn Ysgol Gynradd Llanllyfni lle bu'r athrawon diwylliedig yn ddylanwad enfawr arno. Cofia'r mwynhad o gymryd rhan yng nghaneuon actol lliwgar a dramatig Elen Thomas y Groeslon. Yna, mynychodd Ysgol Uwchradd Dyffryn Nantlle, gan elwa'n fawr o wersi'r cawr o

Ken Hughes a'r 'Hen Blant Bach'

ddramodydd, John Gwilym Jones. Aeth ymlaen i astudio'r Gymraeg, Ffrangeg a Drama yn y Brifysgol ym Mangor. Fe'i hyfforddwyd yn athro cynradd ac uwchradd. Cafodd yrfa ddisglair fel athro mewn ysgolion amrywiol, gan gynnwys Ysgol Gynradd Llanrug, cyn cael ei benodi'n ddirprwy ac yna'n brifathro yn Ysgol Gynradd Tal-y-sarn ac Ysgol Gynradd Eifion Wyn, Porthmadog. Bu llwyfannau Eisteddfodau'r Urdd yn llawn bwrlwm o gystadleuwyr brwd o'r ysgolion hyn dan ei arweiniad goleuedig.

Meddai Ken:

> Dwy alwad ffôn a barodd i mi feddwl am ddementia a dod yn gyfarwydd â'r clefyd. Daeth yr alwad gyntaf gan gwmni teledu Darlun yn fy ngwahodd i wneud rhaglen Nadolig drwy ddod a phobl hŷn a phlant mân at ei gilydd. Yna daeth yr ail alwad gan Prydwen Elfed-Owens yn fy ngwahodd i gyfrannu'n ysgrifenedig i'w chyfrol yn seiliedig ar ddementia. 'Iawn,' medda finnau, yn anwybodus a diniwed, wrth gyfarwyddwr Darlun; 'Faint o dasg fydd hi? Rhof gynnig arni!' 'A iawn,' medd fi yn llawn mor anwybodus a diniwed wrth Prydwen. 'Faint o dasg fydd hi.' Rhof gynnig arni!'

Prysurodd Ken i ychwanegu nad yw'n arbenigwr yn y maes cymhleth a thrist hwn.

> Bûm yn darllen am ddementia a chael cyngor gan arbenigwyr er mwyn f'arfogi fy hun ar gyfer yr her o'm blaen. Wedi hel fy meddyliau, deuthum i'r casgliad fod gennyf un arf pwysig a chadarn, sef hen blant bach. Yn ôl yr arbenigwyr, mae dod â phlant bach a phobl hŷn at ei gilydd yn llesol ac yn gatalydd sicr i lwyddiant. Felly, i ffwrdd â fi yn llawn gobaith i wynebu'r dasg o'm blaen: Sioe Nadolig Hen Blant Bach.
>
> Preswylwyr cartref gofal Plas Gwilym, Pen-y-groes, Dyffryn Nantlle, a phlant mân pedair a phum mlwydd oed Ysgolion Tal-y-sarn, Bro Lleu a Llanllyfni oedd calon y sioe. Roedd y set gennyf a'r cymeriadau … Felly, 'Here goes!' meddwn.

Penderfynodd Ken fynd i'r cartref yn gyntaf i ymgynefino â'r lle a dod i adnabod y bobl a drigai yno:

Anghofia' i fyth 10 Hydref 2018 pan agorais ddrws Cartref Plas Gwilym a gweld gwraig landeg yn eistedd ar soffa gerllaw yn codi ei phen a dweud, 'Wedi dod i fy nôl i ydach chi? Tada fydd yn dod fel arfer?' Be' fedrwn i 'dd'eud? Felly, eisteddais ar y soffa wrth ei hymyl. Yna, dechreuodd ganu 'Dod ar fy mhen' ac felly ymunais efo hi. Dyma foment fythgofiadwy a thragwyddol. Dyma ddarlun o ddementia … byd gwahanol … byd dieithr iawn i mi. Ond, o dipyn i beth, sylweddolais fod y byd hwn yn fyd lle'r oedd pawb yn ymdebygu i fod yn hapus a bodlon.

Cafodd Ken fodd i fyw yng nghwmni'r darpar-actorion, yn sgwrsio, canu a thynnu coes. 'Y Gog' (sef, y gwcw) yr oedden nhw'n galw Ken am ei fod yn agor drws y lolfa bob bore a gweiddi 'Helo', yn debyg i gwcw yn dod allan o gloc. Byddai hynny'n rhoi gwên ar wyneb pawb! Ac felly y bu hi am bum wythnos … ac roedd ganddynt dedlein!… **Y Sioe:**

Daeth y foment fawr i gyflwyno'r bobol fach pedair a phump oed o'r ysgolion i'r bobl hŷn. Dyma nhw'r actorion naturiol! A dyna lun bythgofiadwy oedd eu hwynebau un ac oll pan gyfarwyddasant â'i gilydd! Ymhen dipyn roedd pawb yn dod ymlaen fel tân gwyllt. Roedd pawb yn paru'n ddeuoedd yn gwbl naturiol. A dyna lle buont yn holi a sgwrsio a chanu. Mae hwn *yn* mynd i weithio, meddwn wrthyf fy hun. Buom yn canu, llefaru, siarad, gwneud gwaith llaw a bwyta yn y ffreutur gyda'n gilydd. Gwneud pethau naturiol oedd yn plethu ac yn gwau i'w gilydd fel darnau o jig-so. **'Sgript'**, medde fi!

Treuliodd Ken noson hwyr yn sgwennu 'fel y cythraul', ond y bore wedyn sylweddolodd nad oedd angen sgript gan na fyddai dysgu llinellau yn tycio o gwbl. Felly, gorfu iddo addasu ei strategaeth a rhoi cliwiau a chiwiau iddynt, boed yn symudiad neu'n sŵn neu'n air, a gadael iddynt hwy lunio sgript ac ymgyfarwyddo â hi.

A dyna gambl! Ond fe weithiodd fel gwyrth! Bu'r dagrau'n llifo wrth iddynt ganu, buom yn gwenu pan oeddent yn llefaru, a hen chwerthin wrth iddynt dynnu coes – ac roedd 'Dawel Nos' Mair Forwyn yn ddirdynnol. Roedd llefaru pawb yn wahanol bob tro. Y gwir glasur oedd pan oedd Joseff yn disgwyl am giw i ddweud 'A oes lle yma?' 'Un dau tri', sibrydais wrth Joseff, ac atebodd yntau, 'Mam yn dal pry!' Roedd pawb yn g'lana' chwerthin am iddo lwyddo i dynnu coes ac ynta' mor ifanc. Hollol, hollol hyfryd!

Roedd Ken yn ymwybodol iawn fod y noson fawr yn nesáu. Cafodd pawb ddewis 'costumes' nid 'dillad'! A'r tro hwn roedd trigolion y Dyffryn yn teithio nid i Blas Gwilym ond i Fethlehem. Daeth Lleisiau Mignedd, Seindorf Arian Dyffryn Nantlle, Karen Owen, Glesni a Geth, Anna a'i chriw, gan gynnwys ei phartner, Bryn Fôn a'r criw teledu. Roeddent oll yn ymgymryd â'r her i gyfoethogi a chefnogi'r cynhyrchiad arbennig hwn. Dyma **gymuned leol dementia-gyfeillgar**, yn wir.

'Ddaru o weithio?' Wel, do!
'Be' am y cast? 'Lwyddon nhw?' Wel do! Hollywood, amdani!
Gwych, gwych, gwych – roedd eu hymroddiad a'u hamynedd yn ddi-syfl.

Ceisiodd Ken werthuso beth yr oedd wedi ei ddysgu o'r profiad rhyfeddol hwn, ac meddai:

Dysgais fy mod yn mynd yn hen a 'mod i wedi blino llawer mwy nag a wnawn i ers talwm! Fodd bynnag, roedd bod yn rhan o'r antur hon yn brofiad oes ac yn wers bwysig i mi. Gobeithiaf fod hyn yn wir i bawb oedd yn rhan o'r perfformiad ac i'r gwylwyr. 'Sioe Nadolig Hen Blant Bach' oedd y teitl a'r neges bwysig yw bod rhan allweddol i blant bychain ym mywydau pobl hŷn mewn perfformiadau ac yn nhrefn gyffredinol bywyd.

Cefais ddigon o syrffed ar roi pobl mewn bocsys. Atgyfnerthodd y profiad hwn f'athroniaeth fod gan bob un ohonom ei le a'i gyfraniad mewn bywyd: plant, pobl ifainc a'r rhai hŷn. Fe lwyddwn gyda'n gilydd, beth bynnag fo'r sefyllfa. Dyna oedd neges gref 'Sioe Nadolig Hen Blant Bach'.

Ychydig ar ôl y Nadolig, aeth Ken yn ôl i Blas Gwilym:

Pan agorais y drws, gwelais yr un wraig landeg yn eistedd ar y soffa gerllaw. Cododd ei phen a dweud, 'Wedi dod i nôl i ydach chi? Tada fydd yn dod fel arfer.' Be fedrwn i ddeud? Felly eisteddais ar y soffa wrth ei hymyl. Yna, dechreuodd ganu 'Dawel Nos', fel y gwnaeth yn y Sioe Nadolig; felly ymunais efo hi.

Mae disgyblion yr ysgolion lleol yn parhau i ymweld â chartref Plas Gwilym. Mae hon yn berthynas werthfawr a gwerth chweil sy'n goleuo byd y rhai sy'n glaf o ddementia.

* * *

11 'Siaradwch'

Prydwen Elfed-Owens a Cheryl Williams

Un o'm cyfrifoldebau blynyddol mwyaf hwyliog fel Llywydd Llys yr Eisteddfod Genedlaethol oedd crwydro'r Maes i ymweld â holl stondinau'r cymdeithasau i'w gwerthuso er mwyn gwobrwyo'r tri gorau yn ôl meini prawf penodol megis:

- argraff gyntaf i ddenu diddordeb
- croeso
- cyswllt personol
- iaith cyfrwng Cymraeg
- arddangosfa bwrpasol
- gwybodaeth ddefnyddiol
- manylion cyswllt clir.

Roedd Cymdeithas Alzheimer's Cymru (CAC) yn bresennol ar y Maes bob blwyddyn ond ni chofiaf iddynt dynnu fy sylw yn arbennig bryd hynny.

Deuthum ar draws CAC pan dderbyniais wahoddiad i gyfrannu i ddiwrnod o godi ymwybyddiaeth o effeithiau dementia a drefnwyd ar ran CAC gan Grŵp Dementia Dinbych. Fy rôl i ar y diwrnod hwnnw yng Nghapel Waengoleugoed oedd rhannu fy mhrofiad fel gofalwr i'm gŵr, sydd â dementia. Drwy gynnal y sesiwn hon, byddai'r capel yn derbyn cydnabyddiaeth fel **capel dementia-gyfeillgar** a byddai'r gwrandawyr oll yn dod yn 'Ffrindiau Dementia'.*

Flwyddyn a hanner yn ddiweddarach, mewn sgwrs â'r seiciatrydd, Dr Obeid, parthed y gyfrol hon, cyflwynodd bentwr o adnoddau i mi: *The Dementia Guide* a chyfres o lyfrynnau Saesneg (sef yr 'Alzheimer's Society's monthly fact sheets'), gan gynnwys:

• *Changes in behaviour*
• *Coping with memory loss*
• *Keeping safe at home*
• *Driving and dementia*
• *Mental capacity*
• *Assessment and diagnosis*
• *Understanding and supporting a person with dementia*
• *Care homes – when is the right time and who decides?*
• *The later stages of dementia.*

Dyna lyfryn a phamffledi defnyddiol dros ben ym marn Dr Obeid. Ni allwn ond cytuno â'i farn ond ysywaeth, fe'm cyfeiriwyd atynt yn rhy hwyr i wneud unrhyw wahaniaeth i'm sefyllfa i. Synnais fod y fath adnoddau gwerthfawr yn bodoli. Hyd yma, ni ddaethum ar draws y deunyddiau hyn yn yr iaith Gymraeg. O gofio i mi, yn ystod fy siwrne o dros bedair blynedd o ddelio â dementia, ymwneud â'r cefnogwyr canlynol:

• y meddyg teulu
• gweithwyr cymdeithasol
• yr Asesydd Gofynion Gofalwyr
• gofal dydd
• y cartref gofal
• y Clinig cof.

Mae'n rhyfedd na chyfeiriodd yr un ohonynt at gymorth, cyngor na chyhoeddiadau CAC! Penderfynais, felly, neilltuo lle i CAC yn y gyfrol hon er mwyn cyfeirio gofalwyr at eu gwasanaeth; a phenderfynais mai'r ffordd orau i wneud hynny oedd tynnu ar brofiad Cheryl Williams o CAC fel hyfforddwr.

Cheryl Williams, Hyfforddwr Cymdeithas Alzheimer's Cymru

Ganed Cheryl ym Montnewydd, Caernarfon. Fe'i haddysgwyd yn Ysgol Syr Hugh Owen, Caernarfon, a Phrifysgol Bangor. Erbyn hyn, mae hi'n byw yn Llanrhaeadr ger Dinbych gyda'i gŵr. Wayne, ac Elis y ci. Mae Cheryl yn flaenor yn y Capel Mawr, Dinbych, yn aelod o Gyngor Iechyd Cymuned Gogledd Cymru ac yn un o Lywodraethwyr Ysgol Bro Cinmeirch. Mae ganddi lawer o ddiddordebau, gan gynnwys cerdded, darllen, coginio a bwyta, yn ogystal â chefnogi gweithgareddau a sefydliadau yn y gymuned leol.

Cheryl Williams

Dechreuodd Cheryl weithio i'r elusen Alzheimer's Society Cymru yn 2010. Bu'n arwain sawl prosiect i'r elusen. Datblygodd becyn gwybodaeth i gefnogi pobl â dementia, ôl-ddiagnosis a ddefnyddiwyd gan fyrddau iechyd ledled Cymru. Hefyd, cymerodd gyfrifoldeb am Wasanaeth Eiriolaeth (*advocacy*) CAC. Ar ddiwedd y prosiect hwn, bu'n hyrwyddo ac yn cynnal sesiynau gwybodaeth Ffrindiau Dementia. Er 2018, mae'n gweithio'n wirfoddol i CAC ac i Ddementia-Gyfeillgar Dinbych.

Meddai Cheryl:

> Bob tro y byddwn yn crybwyll dementia, byddwn gam yn nes at greu cymdeithas fwy cefnogol: **cymunedau dementia-gyfeillgar**. Ond er bod y mwyafrif ohonom yn adnabod rhywun â dementia, byddwn yn teimlo'n anghyfforddus yn trafod y clefyd a'i effeithiau. Weithiau, mae'n haws inni ddweud dim.
>
> Mae CAC yn ceisio creu cymuned sy'n cynnwys a chefnogi pobl â dementia tra'n eu galluogi i wneud dewisiadau drostynt eu hunain.
>
> Clefydau amrywiol sy'n effeithio ar yr ymennydd sy'n achosi

dementia. Yn aml, mae rhai'n effeithio ar y cof. Mae'r gwahanol fathau o'r clefyd yn gwneud pobl yn ddryslyd fel na allant ddilyn sgwrs yn hawdd. Yn aml, byddant yn ei chael yn anodd ymdopi â thasgau arferol bywyd.

Mae Cheryl yn pwysleisio'r angen i sylweddoli bod mwy i berson na'r salwch. Yr un yw'r person yn y gwraidd cyn ac ar ôl y diagnosis – boed yn fam, tad, brawd, chwaer, cymar, ffrind neu gymydog. Beth sy'n anodd yw siarad am y diagnosis: yr eliffant yn y stafell?

Mae hi'n pwysleisio'r angen am ddoethineb, ac am fesur a phwyso cyn gofyn unrhyw gwestiwn sy'n ymwneud â chofio – er enghraifft: 'Wyt ti'n cofio pan ...?'; 'Wyt ti'n fy adnabod i?' Ni ddylid ychwaith gyfeirio at ailadrodd: 'Rwyt ti wedi dweud hynny'n barod.' Gall hynny achosi gofid i rywun am nad ydynt yn cofio ac am nad ydynt yn ymwybodol o fod yn ailadrodd. Gwell gwrando, cefnogi a rhoi cyfle i'r claf siarad pan fyddant yn barod.

Fodd bynnag, mae'n hanfodol bod teuluoedd, cymdogion a ffrindiau yn dal i gadw cyswllt agos. Mae'r cysylltiad emosiynol o fudd mawr i atal y claf a'i ofalwr rhag teimlo'n unig.

Cynigodd Cheryl y cyfeirnodau a ganlyn:

Cymorth, cyngor a gwybodaeth:
03300 947 400
dementia.connect@alzheimers.org.uk
alzheimers.org.uk/getsupport

Mae Dementia Connect yn cyfuno cymorth a chyngor wyneb yn wyneb, dros y ffôn, mewn print ac ar-lein drwy Gynghorwyr Dementia arbenigol. Byddant yn asesu anghenion ac yn cyfeirio pobl at gymorth perthnasol.

Rhannu profiadau ag eraill 24/7
alzheimers.org.uk/talkingpoint

Cyfryngau cymdeithasol
twitter@alzheimerssociety.uk
facebook.com/alzheimersociety.uk

*Ffrindiau Dementia

Mae dros 154,500 o bobl yng Nghymru yn Ffrindiau Dementia.

Ceir gwybodaeth am wasanaethau, grwpiau cymorth neu Gymunedau Dementia-Gyfeillgar drwy:

a) eich llyfrgell leol

b) y cyfeiriadur Dementia: alzheimers.org.uk/get support

'Siaradwch, siaradwch, siaradwch'

DIWEDDGLO

Dyma ddod i ben y siwrne o gwblhau'r gyfrol, siwrne agored a gonest fel *'my own authentic, weird and eccentric self'*. Mae'n amlwg i'n profiadau tebyg – a'u straen a'u tyndra – ein clymu ni'r cyfranwyr gyda'n gilydd fel rhyw grŵp 'therapi siarad'. Diolch i bob un, nid yn unig am eich stori bersonol, unigryw ond am eich parodrwydd i'w rhannu er lles eraill.

Cychwynnais ar y siwrne fel gofalwr drwy ymbalfalu un dydd ar y tro, heb nac ymwybyddiaeth, na gwybodaeth na dealltwriaeth o natur ac effaith dementia ar y claf nac arnaf i. Ac ys dywed 'Gwen', *'Athro caled yw profiad; mae'n rhoi'r prawf i gychwyn a'r wers i ddilyn'*.

Mae'r gyfrol hon yn ceisio hysbysu'r darllenwyr o beryglon anwybodaeth. Diolch am eiriau cofiadwy'r cyfranwyr fydd yn gysur i'n cynnal wrth i'n hanwyliaid ddirywio a phan ddaw'r 'Alwad Fawr':

> Gwnewch yn fawr o'r dyddiau da a thrysorwch funudau tawel, cariadus gyda'ch gilydd. *(Gwen: Rhan 1:10)*

> *'I did what I could, I did the very best that I could and I did it for as long as I could.' (Annette: Rhan 1:1)*

> *'Cue:* euogrwydd.' *(Caryl: Rhan 1:3)*

> Ceisiaf beidio ag edrych yn ôl a theimlo'n euog a thrist, ond canolbwyntio ar beth sy'n bosibl y funud hon – gydag un llygad ar y dyfodol. *(Eric: Rhan 1:8)*

Rydym fel grŵp yn gytûn fod gofalu am berthnasau â dementia er yn fraint, yn fater cymhleth a hynod o anodd ar brydiau. Cefais innau fel eraill gymysgedd o gyfnodau da a chyfnodau heriol a barodd imi flino'n lân a cholli f'egni a'm hiechyd. Cofiaf yr ofn a'r braw pan gefais archwiliadau am ganser y gwddw wedi imi golli fy llais. Dyfarnwyd nad oedd dim o'i le yn *gorfforol*: effaith straen ac emosiwn fy sefyllfa oedd wedi achosi'r anhwylder.

Er y newyddion cadarnhaol nad oedd canser arnaf, roeddwn yn parhau'n llesg, yn ddiegni ac yn ddi-lais. Teimlais yn garcharor llwyr i'm hemosiynau a thrymaf y baich, trymaf fy nghorff a mwyaf blêr a di-lun fy f'edrychiad. *'Bydd yn ofalus ohonot dy hun. Ti'n mynd i lawr dan bwysau'r baich'.* Dyma yw arwyddocâd y teitl, **'Na ad fi'n angof'** (sef y gofalwr) dyma eiriau a glywais yn aml. Felly, gallaf uniaethu â disgrifiad Dr John Hagelin o'r syndrom:

> *Negative thoughts and stress have been shown to seriously degrade the body.*

Cofiaf y llesgedd, y cur pen, y cyhyrau tyn a'r teimlad o geisio nofio mewn trobwll. Gwyddwn fy mod yn boddi dan y straen oedd yn effeithio ar fy nghorff, fy meddwl a'm hemosiynau. Ys dywed Tony Robbins:

> *The mind and body are not separate units, but one integrated system. How we act and what we think, eat, and feel are all related to our health.*

Beth bynnag fo'r rheswm am fy nhewdra – bwyta gormod, dewis bwydydd annoeth, neu fy nghorff yn ymateb i'r straen – os am gadw'n iach, mae'n rhaid rheoli'r straen. Unwaith eto, syrthiais yn ôl ar fy mantra bywyd i gymryd cyfrifoldeb:

If it's to be, it's up to me.

Yn ffodus, gwrandewais ar gyngor ffrind i fod yn fwy gofalus a charedig wrthyf fy hun. Trefnodd imi ymweld â'i hoff barlwr prydferthwch hi a daeth hwn yn arfer moethus misol – **F'Amser I'**. Yn sgil hynny, deuthum i wneud defnydd cyson o gyfleoedd eraill i lacio'r tensiynau heb deimlo'n euog nac yn hunanol.

Wrth lunio'r gyfrol – rhannu fy mhrofiadau, tywallt fy stori, sychu fy nagrau – llifodd drosof ymdeimlad o ryddhad ac ysgafnder hyfryd. Fe'm syfrdanwyd ... wrth i mi ddiosg fy mhwysau emosiynol collais gryn bwysau corfforol yr un pryd. A'r tro hwn dywedais wrthyf fy hun: *I do so like it when I come back to be ME!*